William Wharton

SZRAPNEL

TYTUŁY WYDANE W 1996 ROKU W SERII

David Lodge	– TERAPIA
Ken Kesey	– PIEŚŃ ŻEGLARZY
Jonathan Carroll	– GŁOS NASZEGO CIENIA
	– KOŚCI KSIĘŻYCA
	– DZIECKO NA NIEBIE
	– ŚPIĄC W PŁOMIENIU
	– MUZEUM PSÓW
	– POZA CISZĄ
William Wharton	– SPÓŹNIENI KOCHANKOWIE
	– STADO
	– FRANKY FURBO
	– WERNIKS
	– DOM NA SEKWANIE
Steve Erickson	– DNI MIĘDZY STACJAMI
Tim Winton	– OKO I BŁĘKIT
Alice Hoffman	– DRUGA NATURA
Kinky Friedman	– ELVIS, JEZUS I COCA-COLA
Mario Vargas Llosa	– PANTALEON I WIZYTANTKI
Kingsley Amis	– MORDERSTWO W RIVERSIDE VILLAS
Jack Kerouac	– WIZJE GERARDA
E. Annie Proulx	– KRONIKA PORTOWA

w przygotowaniu m.in.:

E. Annie Proulx	– POCZTÓWKI
Kingsley Amis	– STARE DIABŁY
Mario Vargas Llosa	– CIOTKA JULIA I SKRYBA

William Wharton
SZRAPNEL

Przełożył Krzysztof Fordoński

DOM WYDAWNICZY REBIS
POZNAŃ 1996

Tytuł oryginału
Shrapnel

Redaktor
Elżbieta Bandel

Opracowanie graficzne serii i projekt okładki
Lucyna Talejko-Kwiatkowska

Fotografia na okładce
Piotr Chojnacki

Wydanie I

ISBN 83-7120-394-2 (brosz.)
ISBN 83-7120-404-3 (twarda)

Dom Wydawniczy REBIS
ul. Żmigrodzka 41/49, 60-171 Poznań
tel. 67-47-08, 67-81-40; fax 67-37-74
Drukarnia Wydawnicza im. W. L. Anczyca S.A. w Krakowie
Druk z dostarczonych diapozytywów. Zam. 4674/96

Prolog

Opowieści skrywane

Kiedy nasze dzieci były jeszcze bardzo małe, prosiły mnie wciąż, abym opowiadał im różne historyjki. Zawsze sprawiało mi to przyjemność, ale niektóre opowieści zachowywałem dla siebie. Nauczyłem się opowiadać bajki, kiedy byłem jeszcze małym chłopcem, miałem zaledwie dziesięć lat, wymyślałem wtedy straszne historie dla mojej młodszej siostry.

Większość bajek, które opowiadałem moim dzieciom, dotyczyła liska zwanego Franky Furbo. Opowiadałem je od roku 1956, kiedy nasza najstarsza córka miała cztery lata, do roku 1978, kiedy nasz najmłodszy syn skończył lat dwanaście. Najczęściej były to bajki poranne, opowiadałem je zaraz po przebudzeniu, a nie na dobranoc.

Mieliśmy szczęście, ponieważ przez większą część dorosłego życia nie musiałem wstawać co rano do pracy, często też nasze dzieci nie chodziły do szkoły. Moje opowieści stanowiły więc w pewnym stopniu część ich wykształcenia. Franky Furbo był dobrym nauczycielem. Później napisałem powieść, w której wykorzystałem bajki o nim.

Zdarzało się jednak czasami, że dzieci domagały się opowieści nie o Frankym Furbo, ale o różnych innych sprawach, na przykład przygodach z mojego dzieciństwa, albo prawdziwych baśni, takich jakie zwykle kończą się słowami „i żyli długo i szczęśliwie". Nasza najstarsza córka nazywała je „długimi i szczęśliwymi" bajkami, czasami też chcieli słuchać „wojennych opowieści" o tym, co przydarzyło mi się w czasie drugiej wojny światowej.

Na ogół nie chciałem o tym mówić i starałem się w takich sytuacjach odwrócić jakoś ich uwagę. Dzieci były jednak bardzo uparte, więc kiedy w końcu decydowałem się, aby opowiadać im o wojnie, wybierałem zawsze stosunkowo zabawne incydenty. Wspominałem na przykład, jak zdobywaliśmy jedzenie czy omijaliśmy przepisy, albo inne podobnie nieistotne wydarzenia.

W przedostatnim rozdziale *Ptaśka* powróciłem do pewnego ważnego wydarzenia z czasów wojny, jednego z tych, o których nigdy nie opowiadałem moim dzieciom. Cała książka *W księżycową jasną noc* dotyczy innego takiego wydarzenia. Napisałem ją, ponieważ wydawało mi się, że może dojść do ponownego ustanowienia obowiązkowej służby wojskowej, do tego, że będzie się wysyłać młodych ludzi, aby zabijali albo sami byli zabijani. Czułem, że moim obowiązkiem jest opowiedzieć o wojnie takiej, jaką poznałem, przedstawić całą jej absurdalność.

Pewnego dnia jadłem w Nowym Jorku kolację z Kurtem Vonnegutem. Zapytał mnie wtedy: „Jak wyglądała twoja wojna?" Odpowiedziałem żartem, mówiąc, ile razy stawałem przed sądem polowym. Nie była to dobra odpowiedź. Wojna, choć krótka, pozostawiła we mnie ogromny uraz. Byłem przerażony, nieszczęśliwy i straciłem wiarę w ludzi, zwłaszcza w samego siebie. Było to dla mnie bardzo bolesne doświadczenie.

Przerwałem pracę nad *Werniksem*, aby napisać *W księżycową jasną noc*. Praca nad tą książką również nie była dla mnie przyjemnym doświadczeniem. Kiedy się odgrzebie ukryte winy młodości, cuchną one brudnymi szmatami i zaschniętą krwią. Przydarzyło mi się wiele spraw, z których nie jestem dumny, których nie jestem teraz w stanie usprawiedliwić; okazałem gruboskórność, tchórzostwo, chciwość, fałsz. Nie opowiadałem tych historii moim dzieciom. Moje ego nie było dostatecznie silne, być może jest tak nadal, kiedy mam już siedemdziesiąt lat. Zobaczymy.

Pisałem o tych potwornych doświadczeniach natychmiast po zakończeniu wojny, kiedy wróciłem do domu. Dostałem rentę wojskową za pięćdziesiąt procent inwalidztwa i zapisałem się na Uniwersytet Kalifornijski. Płakałem wtedy nazbyt łatwo, trudno za to przychodziło mi nawiązywanie nowych przyjaźni, miałem kłopoty ze snem. Często siedziałem po nocach, nie mogąc zasnąć, próbowałem wtedy zapisać te wydarzenia, swoje wrażenia, poczucie zagubienia, głupotę. Przeniosłem się z wydziału inżynierii na wydział sztuk pięknych. Podjąłem pracę jako strażnik nocny w małym sklepie z galanterią. Chciałem zostać malarzem, ale wtedy, na zapleczu sklepu, którego pilnowałem, sam o tym nie wiedząc, uczyłem się, co to znaczy być pisarzem. Każdego dnia o świcie czytałem to, co napisałem przez noc, darłem kartki na strzępy i topiłem w toalecie.

W *Ptašku* opisałem moje pierwsze negatywne doświadczenia z wojska. Należało do nich przerzucanie węgla w obozie pod Harrisburgiem w zimny grudniowy poranek. Uderzyłem człowieka łopatą i groził mi doraźny sąd polowy. W rzeczywistości okazał się on tak doraźny, że jedyną karą był zakaz opuszczania koszar do chwili przeniesienia na podstawowe szkolenie poborowych do Fort Benning. Była to pierwsza z całej serii moich reakcji na ograniczenia i wymagania wojska. Szkolenie żołnierzy w taki sposób, aby bez pytań wykonywali każdy wydany rozkaz, budziło moje obrzydzenie. Również sztywna hierarchia stanowiła obrazę mojego poczucia wartości, mojej osobowości. Bez powodzenia walczyłem z wojskową mentalnością swoimi wątłymi siłami. W końcu to oni wygrali. **Nauczyli mnie zabijać**. Wytrenowali mnie, abym porzucił naturalną chęć, by żyć, by przeżyć, nauczyli ryzykować życie dla powodów, których często nie rozumiałem, a czasami nie akceptowałem.

1

Szkolenie poborowych – Birnbaum

Historia ta dotyczy młodego żołnierza z naszego oddziału, Birnbauma. Jest Żydem i naprawdę chce zostać żołnierzem, aby zabijać Niemców. Lepiej niż większość spośród nas zdaje sobie sprawę z tego, czym naprawdę jest ta wojna. Teraz wiem, że jego nazwisko znaczy „grusza".

Birnbaum to wielki niezgraba, prawdziwy *klutz*, *saftig*, chłopak o twarzy niemowlaka, dwóch lewych rękach i dwóch lewych nogach. Wygląda na to, że nic nie potrafi zrobić jak należy, już zapięcie guzików stanowi dla niego nie lada wyzwanie. Nawet z naszą pomocą niełatwo przychodzi mu pościelić pryczę tak, by przeszła inspekcję. Nie robi tego celowo, stara się wykonywać wszystko, czego się od niego oczekuje, jest przy tym naprawdę żałosny. Kiedy z nieudolną koncentracją przystępuje do wykonywania najprostszych zadań, łzy same cisną się do oczu. Po prostu zawsze musi wszystko zrobić źle, niezależnie od tego, jak bardzo staramy się mu pomóc.

Przy każdym sobotnim przeglądzie biedny Birnbaum robi coś nie tak, jak należy, ma brudną albo poplątaną siatkę maskującą, uwalaną saperkę, brudną manierkę, kubek pokryty warstwą zaschniętego cukru i kawy lub w jego plecaku brakuje jakiegoś elementu wyposażenia. W wojsku nie karze się pojedynczego człowieka, choć Birnbaum i tak zawsze dostaje dodatkową służbę w kuchni albo czyszczenie latryn. Naciska się na człowieka, odbierając całej drużynie albo plutonowi przepustki na weekend.

Po kolejnym przeglądzie wstrzymane zostają przepustki na weekend dla całej kompanii. Wszyscy zatem próbujemy pomóc Birnbaumowi, i nie wynika to wcale z czystego altruizmu. Dostajemy wszyscy kompletnego świra. Podoficerowie i oficerowie nie potrafią jakoś pogodzić się z tym, że Birnbaum nigdy nie będzie żołnierzem, jakiego próbują z niego zrobić. My z kolei robimy wszystko, co w naszej mocy, ale im bardziej się staramy, tym gorsze są efekty.

Przegląd broni przeprowadza wyjątkowo złośliwy porucznik, który należy do grupy oficerów odpowiedzialnych za nasze szkolenie. Porucznik Perkins, który pochodzi ze stanu Tennessee i służył przedtem w Gwardii Narodowej, naprawdę zagiął parol na biednego Birnbauma.

Pewnego razu udaje nam się przeciągnąć Birnbauma przez inspekcję koszar, pozostaje tylko przegląd broni na placu ćwiczeń. Nie dostaliśmy przepustek na dwa poprzednie weekendy, więc robimy wszystko najlepiej jak można. Skrobiemy jego siatkę maskującą, polerujemy buty, zmuszamy, by ćwiczył musztrę aż do perfekcji, to znaczy takiej perfekcji, do jakiej zdolny jest taki łamaga jak Birnbaum.

Moim zadaniem jest utrzymanie w czystości jego karabinu. Rozbieram go na części, trę każdą plamę wewnątrz lufy aż do połysku. Usuwam brud z kolby, oliwię pasek, poleruję nawet muszkę. Na finał zostawiam sobie watę stalową, którą podkradłem z kuchni. Używanie waty stalowej do czyszczenia kalibrowanej lufy karabinu M1 jest absolutnie zabronione, ale odkryłem, że jest to jedyny stuprocentowy sposób na uzyskanie ostatecznego połysku, kiedy podoficer dokonujący inspekcji, posługując się paznokciem jak lusterkiem, zagląda w lufę. Chce wtedy zobaczyć paznokieć odbijający się wewnątrz lufy na całej jej długości i w delikatnych, cienkich liniach kalibrowania.

Teraz jesteśmy zatem gotowi do ostatecznej próby. Uważnie przyglądamy się Birnbaumowi, szukając nie dopiętych guzików, sprawdzamy, czy czapka siedzi prosto na głowie, na dwa palce nad brwiami, jak wymaga tego regulamin. Szkolimy go pospiesznie, co ma robić, by kolba nie ubrudziła się, kiedy padnie rozkaz „prezentuj broń" albo „spocznij". Uczymy go, jak ma jak najszybciej podać karabin do inspekcji. Jesteśmy przekonani, że Perkins wybierze właśnie Birnbauma, zawsze się tak dzieje.

Jednym z bardziej zwariowanych momentów przeglądu jest rytuał sprawdzania, czy broń jest należycie wyczyszczona. Wszyscy stajemy w szeregu, trzymając karabiny przy boku. Oficer krzyczy „baczność", później „prezentuj broń", a następnie „do przeglądu". Wszyscy, zgodnie z regulaminem, trzymamy karabiny przed sobą, odciągając zamek kciukiem. Przeprowadzający inspekcję oficer przechadza się przed frontem, przyglądając się wszystkim, szukając czegoś, co odbiega od regulaminu, krzywo założonej czapki, nie dopiętego guzika, plam na mundurze i tak dalej. Nagle, bez żadnego widocznego powodu, zatrzymuje się przed jednym z żołnierzy i wpatruje się w niego. Może wtedy zrobić wszystko, zadawać pytania, zwrócić uwagę na jakąś część munduru albo fryzurę, co tylko sobie wybierze. Zazwyczaj chodzi za nim podoficer, który notuje wszystkie uwagi i stawia takiego żołnierza do raportu. Niedobrze. Kiedy oficer zatrzyma się przed żołnierzem, najbardziej prawdopodobne jest, że będzie chciał obejrzeć jego broń. Dokładnie mówiąc, wyrwie mu karabin z rąk. Jeśli zrobi to poprawnie, oczywiście z jego punktu widzenia, to znaczy jak najgorzej z punktu widzenia żołnierza, kolba trafia żołnierza w krocze. Celem naszych ćwiczeń jest opanowanie sztuki puszczania karabinu jak najszybciej, ideałem byłoby, gdyby oficer upuścił broń na ziemię.

Obserwujemy oczy i ręce oficera, czasami próbuje nas oszukać. Gdyby któryś z nas puścił karabin, którego oficer nie próbowałby złapać, byłby martwy na miejscu. Naprawdę staramy się wyczuć odpowiedni moment, żeby samemu nie oberwać kolbą. Jednak w głębi duszy marzymy o cudzie, kiedy oficer sięgnie po karabin, nie złapie go i broń upadnie na ziemię. Słyszeliśmy o takich wypadkach, ale nigdy nie udało nam się nic podobnego zobaczyć na własne oczy. Pułkowa zasada mówi, że jeśli oficer upuści karabin, jest odpowiedzialny za wyczyszczenie go.

No cóż, Birnbaum nie ma najmniejszych szans na dokonanie takiej sztuki. Musimy się wiele napracować, by przynajmniej uniknął utraty męskości. Dostatecznie często zdarzało nam się oglądać, jak żołnierze zwijali się z bólu na ziemi, z dłońmi przyciśniętymi do krocza, ze wszystkich sił powstrzymując okrzyk bólu. Jak na razie przydarzyło się to Birnbaumowi dwa razy, przy czym raz zwymiotował na buty porucznika Perkinsa.

Tym razem jednak puszcza karabin jak należy. Przez całą drużynę przebiega fala radości. Perkins ogląda kolbę, spust, a potem przykłada palec, by obejrzeć lufę. Tu nie mamy się czego obawiać. Osobiście sprawdziłem lufę, zanim wieczorem odstawiłem karabin na stojak. Wszystko było w idealnym porządku.

Porucznik Perkins nadal jednak wpatruje się w lufę. Porusza bronią, by mieć lepsze światło, potem patrzy drugim okiem. Robi się najpierw biały, a potem czerwony na twarzy. Stoję w pierwszym szeregu, trzeci od Birnbauma, zastanawiam się, co może być źle. Porucznik Perkins wbija wzrok w ziemię, a potem patrzy w niebo. Podaje karabin kapralowi Mullerowi, który stoi za jego plecami. Muller przykłada do lufy swój obgryziony do krwi paznokieć i mało sobie oka nie wykłuje, tak długo i z takim przejęciem zagląda do środka. Widzę, że dłonie zaczynają mu drżeć. Posyła pospieszne spojrzenie Perkinsowi, potem jeszcze raz zagląda w lufę. Szczęka mu drga, jak gdyby nie mógł się zdecydować, czy ma otworzyć usta ze zdziwienia, czy zacisnąć zęby z wściekłości. Staje twarzą w twarz z Birnbaumem.

– Szeregowy Birnbaum, co wyście, kurwa, zrobili z tym karabinem?

– Wyczyściłem go, sir.

Birnbaum prostuje przygarbione ramiona. Nie należy zwracać się „sir” do podoficerów, ale w tej chwili podobny drobiazg pozostaje nie zauważony.

Muller bierze głęboki wdech, a potem jeszcze raz zagląda do lufy. Porucznik Perkins odbiera mu karabin i również zagląda w lufę, jak gdyby szukał tam potwierdzenia swoich najgorszych przypuszczeń.

– Czegoście użyli do czyszczenia tego karabinu? Kwasu siarkowego?

– Waty stalowej, waty stalowej, panie poruczniku, waty stalowej!

Słychać go w całej kompanii. Czuję, jak pot spływa mi po karku. Porucznik Perkins odwraca się do Mullera.

– Postawcie tego żołnierza do raportu, kapralu. – Później zwraca się do Birnbauma: – Macie zakaz opuszczania koszar do chwili, kiedy zbierze się sąd polowy.

Inspekcja trwa dalej, jednak, co ciekawe, nasze przepustki nie zostają tego dnia odwołane i biedny Birnbaum zostaje w koszarach sam. Przed wyjściem do miasta pytam go, co się, u diabła, stało, ponieważ nijak nie mogę tego zrozumieć. Jak się okazuje, Birnbaum tak bardzo chciał wszystkich zadowolić, tak bardzo się starał, że nie położył się w ogóle spać, tylko w ciemnościach polerował wnętrze lufy kłębkiem stalowej waty.

Później udaje mi się obejrzeć niesławny karabin, choć, jak się okazuje, nie jest to już wcale karabin. Birnbaum pracowicie starł całkiem kalibrowanie i zmienił go w dubeltówkę. Lufa jest naprawdę czysta, ale normalna kula kaliber trzydzieści po prostu by z niej wypadła, gdyby ktoś próbował z niego strzelać.

Odbywa się doraźny sąd polowy, Birnbaum musi zapłacić za karabin osiemdziesiąt siedem dolarów. Wszystkie jego rzeczy zostały zabrane z koszar i nikt z nas już nigdy więcej go nie widział. „Wata stalowa" staje się zawołaniem naszej drużyny.

Mam nadzieję, że Birnbaum przeżył tę wojnę. Prawdopodobnie został w końcu dobrym żołnierzem, jeżeli ktoś taki w ogóle istnieje.

2

Williams

Jeden z moich przyjaciół nazwiskiem Williams był odpowiedzialny za szkolenie Birnbauma w musztrze. Po wyroku sądu polowego postanawia pomścić Birnbauma, oszukać Perkinsa tak, by ten upuścił karabin na ziemię. Udaje mu się namówić mnie do współpracy, pomysł ten zdecydowanie ma dla mnie pewien urok. Stoimy godzinami naprzeciwko siebie i ćwiczymy, po kolei grając rolę oficera, pozorując, próbując oszukać siebie nawzajem. Obydwaj wypadamy o wiele lepiej w roli oficerów niż w roli szeregowców. Jednocześnie robimy się niepokojąco szybcy w wypuszczaniu karabinu. Dochodzimy do takiej perfekcji, że potrafimy odczytać najsłabsze drgnienie oka czy ciała. Przysiągłbym, że Williams potrafi czytać w moich myślach. Za każdym razem, kiedy któryś z nas upuści karabin, przegrywa ćwierć dolara. Po dwóch tygodniach mam już trzy dolary długu. To spora suma, kiedy ma się pięćdziesiąt cztery dolary żołdu na miesiąc.

Szkolenie trwa, biegnie tydzień za tygodniem, trzydziestomilowe marsze, strzelanie, czołganie się pod ostrzałem karabinów maszynowych, wszelki nonsens i nieszczęścia, jakie tylko potrafi obmyślić armia. Wszystko to wreszcie się kończy, zbliżamy się do ostatniej inspekcji, po której wyślą nas na front. Zostaniemy przeniesieni do formowanej właśnie dywizji piechoty albo bezpośrednio za ocean jako posiłki. Wygląda na to, że czas, który poświęciliśmy na ćwiczenia, zostanie zmarnowany.

Z jakichś powodów od czasu afery z Birnbaumem żaden oficer ani podoficer nie próbował sprawdzać naszych karabinów. Trwa to aż do tego wielkiego dnia, kiedy występujemy w pełnej gali. Tylko że wtedy nic nie dzieje się tak, jak to sobie zaplanowaliśmy. Porucznik Perkins, obok którego idzie jakiś kapitan, zatrzymuje się p r z e d e m n ą. Powinienem był się tego spodziewać, nigdy nie będą kontrolować Williamsa, który zawsze wygląda jak należy, jak prawdziwy żołnierz.

Nie mam nawet czasu, by pomyśleć, co robię. Po tylu godzinach ćwiczeń reakcja jest automatyczna. Na drgnienie oka Perkinsa puszczam karabin, który spada na ziemię, muszka kaleczy w locie palec porucznika. Wiem, że Williams jest teraz naprawdę szczęśliwy i podniecony, choć jednocześnie rozczarowany, że został pominięty. Ja czuję tylko przerażenie. Patrzę przed siebie z dłońmi w pozycji „prezentuj broń", wzrok wbity przed siebie, zgodnie z regulaminem, a nie w dół, na karabin. Perkins rzuca okiem na skaleczony palec, wyciąga dłoń, tak by ani kropla krwi nie spadła na jego letni mundur. Wpatruje mi się prosto w oczy.

– Spocznij.

Przyjmuję pozycję, która w języku wojskowym nazywa się „spocznij", choć niewiele ma wspólnego ze spoczynkiem. Rozstawiam sztywno nogi na szerokość osiemnastu cali, jak gdybym właśnie narobił w portki.

– Szeregowy, po inspekcji odniesiecie ten karabin do kancelarii kompanii.

– Tak jest, panie poruczniku.

Odwraca się i idzie dalej, nadal trzymając sztywno skaleczoną rękę. Dalszej inspekcji dokonuje sam kapitan. Wiem, że trafiłem do raportu, i boję się nawet myśleć o tym, co się teraz stanie.

Moja broń wciąż leży na placu, zakurzona i brudna. Pochylam się i podnoszę ją. Prawdopodobnie złamałem co najmniej pięć punktów wojskowego regulaminu, ale nic mnie to nie obchodzi. Kocham ten karabin. Starannie go przestrzelałem na wszystkich odległościach od dwustu do pięciuset jardów. Nadal pamiętam jego numer seryjny: 880144.

Najbardziej zwariowaną sprawą, pośród mnóstwa zwariowanych spraw, jest to, że kiedy w końcu wysyłają nas na front, dostaję nowy karabin, którego nie miałem możliwości przestrzelać, którego w ogóle nie znam. Nic do niego nie czuję. Zabijam nim ludzi, ale tak naprawdę nie czuję, że jest mój. Może właśnie o to chodziło wojskowym – nic osobistego.

Wracamy do koszar. Williams jest podniecony do szaleństwa. Odciąga mnie na bok i prowadzi do latryny. Ma ze sobą papierowy worek pełen miału węglowego i tubkę kleju lotniczego. Patrzę tępo, jak miesza je, uzyskując czarną, lepką pastę, którą wlewa do lufy i magazynka. Aż drży jednocześnie z wściekłości i uciechy.

– Teraz ten skurwysyn naprawdę będzie musiał popracować. To będzie zemsta za Birnbauma. Aż mnie kusi, żeby dołożyć mu jeszcze paczkę stalowej waty.

Uznaję, że byłoby to już zbyt wiele, mogliby mnie postawić przed plutonem egzekucyjnym.

Popychany przez Williamsa odnoszę broń do kancelarii. Pędem wracamy do koszar. Następnego dnia karabin zostaje dostarczony przez naszego listonosza, czyściutki jak nowy. Sprawdzam numer seryjny, wszystko się zgadza. Nie wiem, kto go wyczyścił ani jak to zrobił. Wszystko odbyło się bez jednego słowa. Mam nadzieję, że karabin czyścił Muller, jestem pewien, że nie zrobił tego sam Perkins. Podejrzewam, że robota spadła w końcu na listonosza.

Trzy dni później zostajemy wysłani do dywizji piechoty, która stacjonuje w Fort Jackson w Karolinie Południowej. Mam nadzieję, że nigdy więcej nie zobaczę już porucznika Perkinsa, od tamtej pory nie rozglądałem się za nim zresztą szczególnie uważnie.

3

Corbeil

Następne opowiadanie o szkoleniu poborowych będzie dotyczyć faceta, który sypiał na pryczy pode mną. Należy do tej nielicznej grupki żołnierzy, których wykształcenie wykraczało poza szkołę średnią. Kończył studia na Uniwersytecie Columbia, kiedy został powołany do wojska. Nienawidził armii jeszcze bardziej niż ja. Studiował filozofię, zajmował się głównie egzystencjalizmem, i uważał całą tę wojnę za niepotrzebną, niczym nie usprawiedliwioną przerwę w swym życiu. Nazywał się Max Corbeil i czytał książki, mniej więcej połowa z nich była po francusku, które sam wysłał do siebie z domu. Uważał bibliotekę pocztową za literacki śmietnik. Muszę się przyznać, że ja nie wiedziałem nawet, co to *jest* biblioteka pocztowa. Po jednym z weekendów Corbeil wrócił z miasta z budzikiem, a wiadomo przecież, że budzik jest najmniej potrzebną rzeczą w wojsku.

Przed świtem, regularnie o piątej trzydzieści, kapral wpada do sali, krzycząc: „Rzucać fiuty, wciągać buty" albo: „Zdrapywać gówna z prześcieradeł". Wojskowy język bywa często nudny, potrafi jednak zawierać sporo sarkazmu. Kapral upewnia się, że wszyscy zwlekli się z pościeli, kopie łóżka, przechodząc przez salę i drąc się na całe gardło. Gdy ktoś spróbuje naciągnąć pościel na głowę, zrywa ją z niego i zrzuca na podłogę, a to oznacza ścielenie łóżka od nowa.

Większość żołnierzy ścieli łóżka tylko na niedzielną inspekcję, później przez resztę tygodnia wsuwamy się pod kołdry jak listy do koperty i wysuwamy z pościeli w ten sam sposób. Koce są praktycznie przyklejone do ram łóżek. W ten sposób możemy dotrzeć do latryny kilka minut wcześniej, nim dotrze tam z tupotem całe stado. O szóstej musimy stać w równych szeregach, ubrani, ogoleni, umyci, z karabinami i hełmami. Później odbywa się apel poranny, przekazanie rozkazów na dany dzień, słyszymy kilka ciepłych słów od Mullera lub Perkinsa o tym, jakie to z nas zawszone patałachy, a później maszerujemy do kantyny na śniadanie. Kucharze muszą wstawać już o CZWARTEJ RANO.

– Po co ci budzik? – pytam zatem Corbeila z niedowierzaniem.

Ten robi tajemniczą minę, przykłada budzik do ucha i uśmiecha się do mnie szeroko.

– Ten mały zegareczek wyciągnie mnie z wojska.

Domyślam się, że wszystkie te książki doprowadziły go do szaleństwa. Moja matka zawsze twierdziła, że czytanie rozmiękcza mózg.

W nocy słyszę, że nakręca budzik. Przechylam się przez krawędź pryczy i widzę, że wkłada go sobie pod poduszkę. Później w ciemnościach rozlega się dzwonek. Mam dość lekki sen. Max leży nieruchomo przez kilka minut, później ostrożnie wysuwa się z łóżka i klęka obok niego. Zsuwa koc na podłogę. Później, nie podnosząc się z kolan, zaczyna sikać na łóżko, starając się zalać całe prześcieradło. Zapala małą latarkę i na nowo nastawia zegarek, zdejmuje z łóżka suchą poduszkę, owija się kocem i kładzie na podłodze.

Budzik dzwoni po raz drugi na chwilę przed wejściem kaprala o piątej trzydzieści. Corbeil podskakuje, chowa zegarek na belce stropowej, a później ponownie owija się kocem. Po apelu odnosi wilgotną pościel do magazynu i dostaje świeżą. Powtarza się to codziennie rano przez tydzień. Muller dostaje kompletnego świra. Wysyła Corbeila do ambulatorium. Tam dają mu jakieś tabletki, których nie łyka, tylko próbuje częstować nimi mnie. Po tygodniu sierżant magazynier nie chce już wydawać Maxowi świeżej pościeli, przy okazji zabierają mu cuchnący moczem materac.

Corbeil sypia teraz na kocu narzuconym na metalowe pręty pryczy. Budzik dzwoni jednak co noc i w ciemnościach słyszę plusk, kiedy Corbeil sika na swój koc. Nasza prycza zaczyna potwornie śmierdzieć.

O ile wiem, oprócz Corbeila ja jeden tylko orientuję się, co naprawdę się dzieje. Po dwóch tygodniach Corbeil zostaje wysłany do internisty, a później do psychiatry. Kiedy jest razem z nami, a nie w szpitalu czy na badaniach, pracuje jak każdy inny. Muller wyżywa się wyraźnie na Corbeilu, wyzywa go od „szczunów" albo jeszcze gorzej. Max jest jednak bardzo pokorny, jest mu okropnie przykro z powodu tego wszystkiego. Postarał się nawet o wiadro gorącej wody z mydłem i szoruje nasiąknięte moczem deski podłogi pod swoją pryczą. Przeprasza wszystkich, twierdzi, że cierpi na to od dzieciństwa. O ile ja coś o tym wiem, kłopoty zaczęły się z chwilą zakupu budzika.

Pewnego dnia Corbeil nie wraca ze zbiórki chorych. Znika prawie na tydzień. Korzystam z okazji i pożyczam sobie kilka książek z jego szafki. Nie potrafię jednak nic z nich zrozumieć, nawet z tych, które napisane są po angielsku.

Teraz przesypiam całe noce bez dodatkowych pobudek, a nasza prycza przestaje tak strasznie śmierdzieć.

Corbeil wraca uśmiechnięty. Wyfasowano mu nowy materac, prześcieradło i koce. Tej nocy ponownie słyszę dzwonek budzika. Max sika jak zwykle. Muszę się bardzo starać, żeby nie wybuchnąć śmiechem, i cała piętrowa prycza zaczyna się trząść. Corbeil wstaje i zagląda do mnie.

– Tylko spokój, Wharton, już niedługo. Poczekaj jeszcze do jutra.

Chowa budzik i kładzie się spać. Rano kapral Muller wrzeszczy, klnie i wyzywa Corbeila. Podoficerowi nie wolno tknąć szeregowca, ale prawie do tego dochodzi, stoją nos w nos, ślina pryska Mullerowi z ust. Twierdzi, że Corbeil jest zakałą całej armii Stanów Zjednoczonych. Ryczy i szaleje, każe mu wyprać koce i prześcieradło i wywietrzyć materac.

Nic jednak nie jest w stanie powstrzymać Corbeila. Ponownie zabierają go z koszar. Budzik zostaje w schowku. Czekam. Jakieś trzy dni później wracamy z ćwiczeń na poligonie i natykamy się na Corbeila. Opróżnia właśnie swoją szafkę, wkłada książki do płóciennego worka. Ubrany jest w mundur wyjściowy, nie w polowy jak my wszyscy. Uśmiecha się do mnie. Odczekuję chwilę, aż wszyscy pójdą do latryny, żeby się trochę umyć.

Spędziliśmy właśnie cały dzień na poligonie,

ucząc się, na czym polega różnica między czołganiem się a pełzaniem: czołga się jak niemowlak, a pełza jak wąż. Tak przynajmniej mi się teraz wydaje, choć może jest dokładnie na odwrót.

Odstawiam karabin na stojak. Cały jestem pokryty błotem – to mieszanina kurzu i potu.

– No i co się stało?

– Udało mi się. Jestem wolny. Zostałem zwolniony ze służby wojskowej z przyczyn medycznych. Za trzy dni będę już w domu. Powinienem zdążyć zapisać się na zajęcia. Cierpię na moczenie nocne na tle nerwowym. Armia Stanów Zjednoczonych nie będzie miała ze mnie żadnego pożytku. Czyż to nie okropne? – Uśmiecha się i podskakuje, by zdjąć zegarek z belki. – Proszę, weź go. To prezent za to, że siedziałeś cicho i nie wydałeś mnie. Przepraszam, że budziłem cię co noc, no i za ten smród, ale naprawdę nie chcę zginąć. Trupy cuchną o wiele gorzej.

W ten sposób wydostał się z armii. Po kilku dniach dostajemy na jego miejsce nowego chłopaka z innej kompanii. Nazywa się Gettinger. Gettinger jedzie razem z nami do Fort Jackson w Karolinie Południowej. Wiele razem przeszliśmy. Zginął pod Metzem. Wtedy nauczyłem się, że warto skończyć uniwersytet. A także tego, że trudno naprawdę wiedzieć, co jest właściwe.

4

Logan

W kilka tygodni po aferze z budzikiem kręcimy się koło tablicy ogłoszeń przy kancelarii kompanii razem z facetem nazwiskiem Logan. Pochodzi ze Steubensburga w stanie Ohio i jako jedyny z nas oprócz żołdu dostaje pieniądze z domu. Pięćdziesiąt cztery dolary na miesiąc to niewiele, nawet wtedy.

Logan dostaje co miesiąc czek na sto pięćdziesiąt dolarów. Ma powody, by nienawidzić wojska. Wszyscy mamy po temu swoje powody, ale jego powód jest szczególny i zasługuje na to, by tu o nim opowiedzieć. Logan był kadetem lotnictwa, w swojej klasie został dowódcą batalionu. Przygotowywali się właśnie do zakończenia szkolenia, po którym mieli otrzymać stopień podporucznika. Logan przeprowadzał musztrę swojego batalionu na drodze, maszerował tyłem, podnosząc wysoko kolana, twarzą do żołnierzy, kiedy niespodziewanie od tyłu potrącił go jeep. Trzy tygodnie spędził w szpitalu z połamanymi żebrami i pękniętym obojczykiem. Kiedy wyszedł, został uznany za niezdolnego do służby w lotnictwie i przeniesiony do piechoty. Nadal ma, nielegalnie, kompletny mundur podporucznika, prosto od krawca, ze złotymi belkami. Zamówił go, zanim uległ wypadkowi. Amerykańscy oficerowie sami kupują sobie mundury.

Logan ma wszystko szyte na miarę, także mundur szeregowca. Wysyła swoje rzeczy do pralni chemicznej i do prasowania. Gdyby miał dystynkcje, wyglądałby bardziej jak oficer niż którykolwiek z naszych prawdziwych tak zwanych oficerów.

Pewnego dnia znajdujemy na tablicy ogłoszenie o tym, że szukają dwóch ochotników na pomocników kucharza. Pomocnik kucharza to wojskowe określenie nadzorcy kuchcików. Mamy za sobą wyjątkowo beznadziejny dzień, który spędziliśmy, maszerując po poligonie w maskach przeciwgazowych przez obłoki gazu łzawiącego, więc w porównaniu z tym wszystko wydaje się nam lepsze.

Wyciągamy pinezki i Logan chowa ogłoszenie do swej elegancko skrojonej kieszeni. Idziemy do kancelarii i oficjalnie zgłaszamy się u Reilly'ego, urzędnika kompanijnego. Ten mówi, że jeteśmy pierwsi, my zaś wiemy już, że będziemy także ostatni. Następnego dnia w czasie porannego apelu dostajemy polecenie zgłoszenia się do kancelarii.

Porucznik Gross mówi nam, że kończymy ćwiczenia i przechodzimy do dyspozycji kucharza, sierżanta Mooneya, jako jego pomocnicy. Mamy natychmiast zgłosić się w kuchni. Salutujemy na pożegnanie i zaczynamy się martwić. Wszystko poszło zbyt gładko. Na ogół zgłaszanie się na ochotnika w wojsku nie jest zbyt rozsądne.

Okazuje się jednak, że był to naprawdę wspaniały pomysł. Mooney jest tłusty i leniwy, lubi pić i jeść, ale na pewno nie gotować. Kiedy czytam teraz komiks *Beatle Bailey* albo widzę kucharza z *Blondie*, zawsze przypomina mi się sierżant Mooney.

Nasza praca polega na tym, że o czwartej rano budzimy kuchcików, przydzielamy im robotę i przygotowujemy wszystko do śniadania na siódmą. Teoretycznie nie powinniśmy nic robić sami, jedynie dopilnować, żeby kuchciki zrobili wszystko, co do nich należy. W nocy musimy zostać tak długo, aż jesteśmy pewni, że kuchnia jest wysprzątana, a jadalnia gotowa do śniadania następnego dnia.

Robota jest wspaniała, ponieważ pracujemy na zmiany, jeden dzień pracy, jeden wolny. Jeśli pisarz kompanii i dowódca wyrażą zgodę, możemy dostawać przepustki do miasta na dzień wolny. Nawet kiedy jesteśmy w pracy, możemy urwać się na kilka godzin między obiadem a kolacją i odpocząć w koszarach. Żyjemy w fantastycznych warunkach. Przydaje się teraz budzik, który dostałem od Corbeila.

Ogólnie rzecz biorąc, pomocnicy kucharza są równie kochani w wojsku jak klawisze w więzieniu. Uważani są za wtyczki, za ludzi, którzy sprzedali dusze diabłu. Logan i ja postanawiamy to zmienić. Jednym z naszych zadań jest podział obowiązków, do których należą najprostsze, jak nakrywanie do stołów i wydawanie jedzenia, aż do najgorszych, jak zmywanie garów. Od razu stawiamy sprawę jasno, że od tej pory podział będzie się odbywał w kolejności stawiania się do pracy. Kto przychodzi pierwszy, może wybrać sobie robotę. Kilka razy pożyczam mój budzik, kiedy sam nie mam dyżuru. Później udaje nam się coraz więcej robić wieczorem, tak byśmy mogli rano później budzić kuchcików. Dzień zaczynamy od śniadania przygotowanego dla kuchcików: jajecznica albo jajka sadzone na czterech albo pięciu plasterkach bekonu, sok pomarańczowy, płatki, mleko i kawa. Oprócz nas nikt tak nie jada. Okazuje się, że Logan oprócz eleganckich ubrań lubi też dobre jedzenie i potrafi gotować, prawdziwy z niego epikurejczyk.

Dopóki w kuchni wszystko idzie jak należy, kucharz niczym się nie przejmuje. I tak nigdy nie pojawia się tu przed szóstą. Teraz zaczynamy budzić kuchcików o piątej zamiast o czwartej. Żaden z nas nie jest szczególnie agresywny czy złośliwy, stopniowo więc przeciągamy ich na swoją stronę, a może to my przechodzimy na ich stronę: to zależy od tego, jak chcecie na to spojrzeć. Jesteśmy przyjaźnie nastawieni do wszystkich.

Kucharz jest zadowolony, ponieważ robimy, co do nas należy, tak że on sam nie musi robić prawie nic. Jak tylko możemy, ułatwiamy sobie życie, co nie okazuje się szczególnie trudnym zadaniem. Wymyślamy na przykład sposób podtrzymywania ognia przez noc: tuż przed capstrzykiem napełniamy piec bryłami węgla owiniętymi w wilgotne gazety. Teraz kuchciki przychodzą rano do ciepłej, przytulnej kuchni, a stoły są już nakryte. Dochodzimy do wniosku, że to niezła fucha. Kucharz radzi nam, żebyśmy poszli do szkoły kucharskiej. Nasza kompania jest teraz jedyną, w której wszyscy błagają o służbę w kuchni. Logan twierdzi, że gdybyśmy przejęli kontrolę nad listą przydziałów, moglibyśmy nawet pobierać opłaty.

Stopniowo dochodzimy do wniosku, że to sposób przyrządzania sprawia, że jedzenie jest takie paskudne. Dostajemy przecież wspaniałe kotlety wieprzowe, a dzieje się to w czasie, kiedy cywilom racjonuje się mięso. Nikt w całym kraju nie jada tak jak my, przynajmniej w teorii. Dostajemy jedzenie godne królewskiego stołu. Tylko że kucharz bierze te wspaniałe kotlety i zanurza je w garze pełnym wrzątku. Później wyciąga je z wody i podsmaża lekko na oleju, żeby wyglądały tak, jakby naprawdę były smażone. Smakują jednak jak karton i są twarde jak podeszwy. Tylko *wyglądają* jak kotlety wieprzowe. Przekonujemy kucharza, żeby pozwolił nam przyrządzać posiłki, podczas gdy sam będzie zalewał się własnym sosem – alkoholem. Logan uczy mnie gotować. Podajemy boeuf Strogonoff zamiast gulaszu, wołowinę w sosie czosnkowym zamiast odgrzewanej mielonki. Posuwamy się wręcz do tego, że kiedy smażymy steki, dajemy wybór: krwiste, średnio i dobrze wysmażone. To nie lada wyczyn, kiedy ma się do nakarmienia dwieście osób w niecałą godzinę. Kuchciki wyraźnie wciągają się do roboty, a kucharz dostaje awans.

Mniej więcej w tym czasie niektórzy z nas dostają pierwsze prawdziwe urlopy. Jadę do Kalifornii, dokąd moi rodzice przeprowadzili się z Filadelfii już po tym, gdy powołano mnie do wojska. Logan przejmie na ten czas wszystkie dyżury i zajmie się też gotowaniem. Dostaję dwanaście dni na przejazd, co w połączeniu z dziesięcioma urlopu daje dwadzieścia dwa dni. Łączę to sprytnie z weekendami i uzyskuję razem dwadzieścia cztery dni wolnego. Czuję się jak więzień na zwolnieniu warunkowym. Wydostanę się z koszar, będę całkiem sam po prawie sześciu miesiącach uwięzienia. Moje sny stały się rzeczywistością.

Po raz pierwszy odwiedzam moich rodziców w Kalifornii. Poznaję kobietę, która za sześć lat zostanie moją żoną. Wiele razem tańczymy. W południowej Kalifornii było wtedy mnóstwo wspaniałych orkiestr tanecznych. Tańczymy w Casa Manana i Casino Ballroom, a grają dla nas Jimmy Dorsey, Harry James i wszystkie wielkie big-bandy. Większość mężczyzn na parkiecie nosi mundury. Na urlopie było wspaniale, jednak kiedy wracam do jednostki, okazuje się, że znowu znalazłem się na wykazie dyżurów. Wprost nie potrafię w to uwierzyć!

Logan trafił do szkoły kucharzy, a dawny kucharz został zdegradowany do szeregowca. Na jego miejsce przyszedł nowy, który nie chce mieć żadnych pomocników. Z powrotem ląduję w kompanii liniowej. Czuję się wystrychnięty na dudka.

Dużo później dowiedziałem się, że w czasie walk w Ardenach, kiedy wszyscy, kierowcy, kucharze, urzędnicy, a nawet orkiestra pułkowa, zostali wysłani do walki, Logan strzelił sobie w ramię z karabinu. Kiedy ktoś robi coś podobnego, powinien wycelować w rękę i strzelać przez materiał. Logan widocznie zrobił coś nie tak, bo strzaskał obie kości. Wydaje mi się, że mógł załatwić to lepiej. A może n a p r a w d ę był to wypadek.

5

Sierżant Hunt

Przed wyjazdem do Europy zostałem przeniesiony do pułkowego zwiadu i rozpoznania, zwanego I&R. Ktoś przejrzał dokumenty i znalazł wynik mojego testu przydatności do służby wojskowej. Z kompanii K przeniesiono mnie do kompanii dowodzenia. To o wiele lepsza robota niż w kuchni. Przechodzimy specjalne przeszkolenie w odbywaniu patroli, posługujemy się najnowocześniejszymi (jak na wojsko, oczywiście) telefonami i radiostacjami, jeździmy jeepami, ciężarówkami i specjalnymi gąsienicowymi transporterami-amfibiami. Wysyłają nas nawet do Fort Benning na szkolenie spadochroniarskie. W ciągu dwóch tygodni odbywam pięć skoków. Nie pozwalają nam skakać po raz szósty, bo wtedy mielibyśmy prawo do odznaki spadochroniarskiej, co znaczyłoby, że należy nam się dodatkowo piętnaście dolarów żołdu miesięcznie.

Szef kompanii to bardzo dziwny człowiek. Prawdopodobnie jest to najzłośliwszy typ, jakiego poznałem w swym życiu, choć zawsze jest radośnie uśmiechnięty od ucha do ucha. Ma malutkie oczka i wielki brzuch. Jest „prawdziwym" żołnierzem i Południowcem. Nie wiem, jak to jest naprawdę z tą jego inteligencją, jednak jeśli chodzi o szefowanie kompanii piechoty, to prawdziwy geniusz. Zachowuje się tak, jak gdyby była to jego prywatna armia zorganizowana wyłącznie po to, aby on miał z tego zysk. My, szeregowcy, podobnie jak wszyscy inni, jesteśmy jego niewolnikami. Dowódca kompanii i pozostali oficerowie kochają go, ponieważ dzięki niemu nie muszą nic robić. Dowódca jest jedynie ozdobą kompanii. Sierżant Hunt dwukrotnie otrzymał propozycję awansu i dwukrotnie odmówił. Poustawiał sobie wszystko tak, że żyje lepiej, jada lepiej i zarabia więcej pieniędzy niż sam pułkownik.

Popełnia jednak jeden błąd. Robi się zbyt zachłanny. Odkrywa to któryś z jego podwładnych. Możliwe, że jakiś pisarz, któremu Hunt zatruwał życie, zauważył, że sierżant wysyła dodatek rodzinny do trzech kobiet mieszkających w różnych stanach. Mogło mu to uchodzić na sucho, ponieważ sam podpisuje wszystkie rozliczenia. Ma jedną żonę w Alabamie, drugą w Karolinie Południowej i trzecią w Missisipi. Jeśli się nad tym zastanowić, Hunt nie był pewnie zbyt inteligentny, choć na pewno sprytny. Staje przed sądem polowym i zostaje zdegradowany do szeregowca. Musi spłacić bezprawnie pobrane dodatki i spłaca je. Wydaje mi się, że jest dość bogatym człowiekiem.

Każdy inny wylądowałby w więzieniu federalnym w Leavenworth, ale Hunt potrafi załatwić sobie pomoc, a oficerowie go lubią. Zostaje przeniesiony do koszar, gdzie wszyscy mieszkamy, my zaś dostajemy nowego szefa.

Teraz każdy, komu kiedyś nadepnął na odcisk, korzysta z tego, by odegrać się na szeregowym Huncie. Jego życie robi się naprawdę ciężkie.

Co noc dostaje kocówę. W swojej tubce z pastą do zębów znajduje krem do golenia. Co wieczór musi ścielić swoje łóżko, zanim się do niego położy. Pod kocem znajduje wszystko – pająki, skorpiony, węże, kondomy pełne wody, po prostu wszystko. Nigdy jednak nie mówi nawet słowa, uśmiecha się tylko z przymrużonymi oczami i zrzuca wszystko na podłogę, a potem ścieli łóżko od nowa.

Przydzielają mu najbardziej parszywe obowiązki: sprzątanie latryn, pracę w kuchni i nocne warty. Każdy szeregowiec stara się jeszcze bardziej utrudnić mu życie. On jednak tylko się uśmiecha, a pod małymi oczkami układają mu się tłuste fałdki. W takich chwilach wydaje się jeszcze bardziej niebezpieczny. Na rękawach jego munduru wciąż widnieją ślady zerwanych naszywek. Staram się usilnie trzymać od niego z dala.

Jest o wiele starszy od wszystkich oficerów w kompanii, włącznie z nowym dowódcą. Prawdopodobnie zbliża się dopiero do trzydziestki, dla nas jednak jest już naprawdę stary. Trzyma język za zębami, robi, co mu każą, niezależnie od tego, co to jest, nawet jeśli są to prace, których nie musi robić, jak mycie podłogi w koszarach przed pobudką. A nikt nie zna regulaminów wojskowych tak dobrze jak Hunt. Jestem pewien, że szykuje się coś złego.

Rzeczywiście, nie trwa to długo. Udaje mu się jakoś załatwić przeniesienie do kompanii C, a potem zaczyna awansować z zastraszającą szybkością. Przyszywa sobie nowe belki luźnym ściegiem, aż wraca do stopnia sierżanta. Te belki przyszywa już na stałe.

Od tej chwili zaczyna organizować przeniesienia z kompanii dowodzenia do kompanii C około dwudziestu podoficerów i szeregowych. Ta dwudziestka to ci, którzy najbardziej się na nim wyżywali. Codziennie rano z lękiem spoglądamy na tablicę ogłoszeń. Potem już nie słyszymy nic o tych żołnierzach, chyba że ich nazwiska pojawiają się na liście zdegradowanych. Niszczy ich, jednego po drugim. Boję się nawet myśleć o zemście, jaką dla nich przygotował. Od tej pory boję się wielkich, uśmiechniętych, tłustych Południowców. To swego rodzaju osobiste uprzedzenie.

6

Woda

Częścią naszego szkolenia w Fort Jackson są trzydziestomilowe „marsze wodne". Pierwszego dnia maszerujemy trzydzieści mil, nocujemy, a następnego wracamy. Wolno nam zabrać tylko jedną manierkę wody, musimy zatem przemaszerować sześćdziesiąt mil na jednym litrze wody, a to niewiele, zwłaszcza że jest bardzo gorąco i wilgotno. Do dziś nie wiem, co mieliśmy przez to osiągnąć.

Jeden z moich przyjaciół, Pete, postanawia zrobić na tym interes. Lutuje czy spawa, sam nie wiem, jak to zrobił, trzy puszki numer dziesięć, obciąwszy najpierw dna i wieczka. Montuje do tego nawet niewielki kranik. Obserwuję go, jak po ciemku po ćwiczeniach robi swój zbiornik, i powoli dochodzę do wniosku, że zwariował.

Normalnie zabieramy na takie marsze pełen plecak i karabin M1 razem z amunicją i ładownicami. W plecaku mamy komplet sztućców, namiot zawinięty w koce, jeden maszt, śledzie i zmianę bielizny. Pełen plecak wystaje nam ponad głowę i waży około trzydziestu kilogramów. W zbiorniku Pete'a mieści się co najmniej kilkanaście litrów wody. W plecaku nie mieści się jednak połowa płachty namiotu, maszt ani śledzie. Wiem, że litr wody waży kilogram, więc jego plecak jest teraz bardzo ciężki. Kiedy wyruszamy na kolejny marsz, Pete zabiera swój pojemnik. Muszę przyznać, że jego plecak wygląda tak samo jak wszystkie inne.

Kiedy docieramy na miejsce i rozbijamy biwak, wszyscy umierają z pragnienia. Bardzo trudno jest powstrzymać się od picia w czasie marszu, a na miejscu nie ma żadnego źródła. Oficerowie pokonują tę trasę jeepem, wznosząc nam prosto w twarz tumany kurzu, popijając wodę z pełnych manierek. Zasada jest taka, by przed wyruszeniem wypić tyle wody, ile się zmieści, aby potem pić jak najmniej. Wszyscy jednak pocą się i sikają, więc trzeba mieć sporo szczęścia, by zostało pół manierki na noc i następny dzień.

Język przykleja się do podniebienia, zęby do warg, wargi do siebie. Następnego dnia, jeśli jesteśmy w stanie maszerować, dyszymy jak psy z wywalonymi językami.

Wydaje mi się, że Pete kasuje dwa dolary za pół nakrętki od manierki. W zbiorniku mieści się chyba dwadzieścia manierek, a to oznacza mnóstwo pieniędzy. Wylądował za to bez połowy namiotu, bez koca, bez masztu i śledzi do namiotu. Po prostu nie ma gdzie spać.

Ma jednak tyle szczęścia, że noc jest upalna i układa się do snu za moim namiotem. Układamy stos z gałęzi i sosnowych igieł, tak by nikt go nie zobaczył.

Namioty stawia się w wojsku w następujący sposób: Każdy szeregowiec nosi w plecaku połowę namiotu. Później dwóch żołnierzy spina dwie połowy i posługując się dwoma masztami i śledziami ustawia namiot.

Sąsiad Pete'a z namiotu, który nie bierze udziału w wodnym biznesie, ma swoją połówkę namiotu. Nie może jednak nic z nią zrobić, musi schować się razem z Pete'em i spróbować przespać się pod połową płachty. Stanowczo nie jest z tego powodu zachwycony.

Cały ten zwariowany plan udaje się zupełnie nieźle. Pete obdziela wszystkich wodą i zbiera w sumie ponad czterdzieści dolarów, piątkę daje swojemu koledze, żeby ten trzymał gębę na kłódkę. Popełnia jednak jeden błąd, zapomina zostawić choć trochę wody dla siebie. Gdyby jednak potrzebował alibi, jest to całkiem niezłe posunięcie. Jest równie spragniony jak każdy z nas, a może nawet bardziej. Prawie udaje mu się przechytrzyć samego siebie. Dobrą stroną jest to, że teraz jego plecak jest pusty i waży mniej niż pięć kilogramów. Pete jednak za bardzo lubi hazard – w ciągu następnego tygodnia traci zarobione trzydzieści pięć dolarów, a może nawet więcej.

Wydaje mi się, że tę historyjkę mógłbym opowiedzieć moim dzieciom. Uznałyby pewnie, że jest bardzo zabawna.

Oczywiście, podobnego numeru nie da się utrzymać w tajemnicy, wszyscy uważają, że to niemożliwe. W końcu dowiaduje się o tym dowódca plutonu i wzywa do siebie Pete'a. Zapytany, czy naprawdę to zrobił, Pete zaprzecza i twierdzi, że ktoś to wszystko wymyślił. Pokazuje, że nie ma pieniędzy, a do tej pory zdążył się już pozbyć puszek. Nie ma więc żadnych dowodów.

Jestem pewien, że oficerowie również uznali, że był to niezły numer, nikt bowiem nie czepia się więcej Pete'a i nie próbuje go ukarać czy choćby utrudniać mu życia. Od tej pory jednak przed wymarszem sprawdzają wszystkim zawartość plecaków. Nasze „wodne marsze" odbywają się teraz na serio.

7

Doktor Smet

Tak, wreszcie jesteśmy gotowi, by płynąć za ocean. Przez cały czas spodziewaliśmy się, że zostaniemy wysłani na południowy Pacyfik, trenowaliśmy desant na plaży, przetrwanie w dżungli, „marsze wodne", o których już opowiadałem. Wydano nam specjalny sprzęt i mundury do walk na Pacyfiku. Zdecydowanie nie mamy jednak ochoty się tam wybierać.

Nagle, zupełnie w ostatniej chwili, dostajemy nowy sprzęt, szynele, wełniane czapeczki, długie kalesony w kolorze zgniłooliwkowym, a następnie, po długiej podróży pociągiem z pozasłanianymi oknami, pakują nas na największy statek, jaki kiedykolwiek w życiu widziałem. Kiedy wchodzimy na pokład po trapie, przed sobą widzę tylko gigantyczną ścianę poznaczoną okrągłymi okienkami. Wkrótce okazuje się, że rzeczywiście jest to największy statek na świecie, „Queen Elisabeth". W pięć dni śmigamy przez Atlantyk z prędkością dwudziestu trzech węzłów bez żadnej eskorty. Zakładano, że płyniemy zbyt szybko, by mogła nas trafić jakaś łódź podwodna czy coś takiego. Jakoś nie mogę w to uwierzyć i rzadko zdejmuję kamizelkę ratunkową.

Na statku płynie piętnaście tysięcy żołnierzy. Większość od pierwszego dnia cierpi na chorobę morską. Kiedy tylko mogę, kryję się w staromodnej wannie. Przy każdym przechyle woda przelewa się przez jej brzegi, ale ja pozostaję mniej więcej nieruchomy, moknę, ale przynajmniej nie wymiotuję.

Do maleńkiej dwuosobowej kajuty trzeciej klasy zaokrętowano ósemkę. Kolejki w mesie są tak długie, że można skończyć jeden posiłek i ustawić się spokojnie po następny, ale większość nie jada na statku zbyt wiele.

Lądujemy w Szkocji, później podróżujemy koleją, przerzucani z jednego pociągu do drugiego, wszystkie zaciemnione i z zasłoniętymi oknami. Z pełnymi plecakami, ubrani w nowe mundury tłoczymy się w malutkich przedziałach zapchanych europejskich pociągów. W końcu w środku nocy docieramy na miejsce, do koszar, które okazują się dawną fabryką włókienniczą. Mamy tutaj pozostawać w ukryciu, nikt nie wie jak długo. Jest tylko jeden problem, nie można tak naprawdę schować całej dywizji, a teraz po Anglii porozrzucanych jest wiele dywizji, które czekają na wielką chwilę.

Właściwie stajemy się więźniami w cuchnącej fabryce. Pewnego dnia ktoś odkrywa, że przed nami stacjonował tutaj murzyński oddział transportowy. Nasi popieprzeni Południowcy wyrzucają więc wszystkie materace przez okna i palą je na dziedzińcu. Od tej pory sypiamy na płóciennych pasach pryczy. Max Corbeil czułby się tu jak u siebie w domu.

Pewnego dnia zostaję przydzielony do przenoszenia szafek oficerów. Nie mam pojęcia, co oni w nich chowają, ale są ciężkie jak cholera. W kompanii dowodzenia wyraźnie zbyt wielu jest oficerów i za mało szeregowców.

Kiedy wrzucam ciężką szafkę na ciężarówkę, czuję, że dzieje się ze mną coś niedobrego. Jestem pewien, że dostałem przepukliny, to znaczy, *mam nadzieję*, że to przepuklina. Cywilny ambulans odwozi mnie do szpitala. Badanie wykazuje, że to żylak powrózka nasiennego. Nie mam pojęcia, co to takiego, mam tylko nadzieję, że to coś poważnego. Jak się okazuje, na jednym z jąder zrobiło mi się coś w rodzaju żylaka. Jest to trochę bolesne, ale na pewno nie jest to choroba, która klasyfikowałaby mnie jako niezdatnego do służby w wojsku. Od wielkiego ataku dzieli nas zaledwie kilka tygodni, nikt nic nie wie na pewno, a nawet jeśli wie, zatrzymuje te wiadomości dla siebie. Kiedy tylko mogę, skarżę się, jęczę i narzekam. Dostaję specjalne suspensorium, płócienną opaskę na mosznę, przypominającą trochę te, które noszą hokeiści. Od razu wydają mi dwie, na zmianę. Dwa dni później u stóp mojego łóżka zatrzymuje się uśmiechnięty doktor.

– Sądzę, że należy to zoperować, ale nie umrzesz od tego i nie będziesz już musiał niczego dźwigać.

Mogę się domyślać, że nigdy w życiu nie musiał podnosić oficerskiej szafki.

– Leż teraz spokojnie, a nawet się nie obejrzysz, kiedy znajdziesz się z powrotem w swoim oddziale. Nie masz się o co martwić.

Mówi to w taki sposób, jak gdyby „znalezienie się z powrotem w moim oddziale" było moim najskrytszym marzeniem, jak powrót do domu.

Doktor wychodzi, a ja czuję, jak ogarnia mnie ból i gniew. Być może jest to moja szansa, jedyna w swoim rodzaju okazja pozostania w Anglii, właściwie jako cywil, przez całą tę przeklętą wojnę.

Moja podstawowa sprawność to strzelec wyborowy, to znaczy jestem najgorszym strzelcem, jakiego tylko można sobie wyobrazić. Druga sprawność to zwiadowca, moja sprawność, a trzecia to maszynista. Już w liceum nauczyłem się pisać na maszynie i osiągnąłem niezły wynik na wojskowym teście z maszynopisania. To właśnie jest mój as w rękawie, niestety, siedzi bardzo głęboko i obawiam się, że nijak nie zdołam go stamtąd wyciągnąć. Wiem, że nawet jeśli pułk ruszy na front beze mnie, przydam się w Anglii. Zgłoszę się na ochotnika, żeby wypełniać formularze, a może jakiś major zażyczy sobie, bym przepisał jego wielką powieść wojenną. Wszystko mi jedno, palce już mnie świerzbią, by zacząć pisać cokolwiek.

Kiedy doktor Smet ponownie staje obok mojego łóżka, zwijam się z bólu, bardziej z przyzwyczajenia niż dlatego, że naprawdę cierpię, ale mój żylak powrózka nasiennego nie robi już na nim żadnego wrażenia. Tak jest, postanowił zrobić mi wielką przysługę i odesłać mnie z powrotem do jednostki. Jest moim przyjacielem. Uratuje mnie przed tą paskudną operacją. Wygląda, jakby oczekiwał, że pocałuję go za to w rękę.

To jednak nie koniec niespodzianek. Jak się okazuje, zaciekawiła go moja prawa stopa. Jeszcze jako dzieciak miałem na prawej pięcie niewielki wzgórek. Kiedy kupowałem nowe buty, zawsze miałem w tym miejscu pęcherz. Człowiek uczy się żyć z podobnymi przypadłościami. Lekarz naciska wzgórek palcem, później wbija w niego igłę. Przesuwa nim w tył i w przód, pytając przy tym ciągle, czy mnie to boli. W odpowiedzi wyję z bólu, a w oczach stają mi łzy. Lekarz zapisuje coś na niewielkiej kartce.

Później wraca z drugim lekarzem, aby i on przyjrzał się mojej pięcie. Krzyczę jeszcze trochę, udając, jaki to jestem dzielny. Doktor Smet mówi, że mam ostrogę piętową. Pyta, czy boli mnie podczas chodzenia.

– Tak, panie doktorze, boli. Zaognia się i puchnie w czasie marszu, mam potem pęcherze i otarcia.

Notuje coś na swojej kartce. Może to moja druga szansa na pozostanie w Anglii?

Spędzam w szpitalu następne cztery dni. Kiedy nikt nie patrzy, kopię piętą w metalową ramę łóżka. Idąc do łazienki, kuleję. Teraz boli mnie tak, że nie muszę udawać. Nie śpię w nocy i ciągle jęczę. Pielęgniarki podają mi aspirynę, żeby mnie tylko uciszyć.

Następnego dnia doktor Smet zjawia się z jeszcze innym lekarzem. Ten wygląda na specjalistę. Każe mi przewrócić się na brzuch, zgina mi nogę w kolanie, wykręca stopę w kostce we wszystkich kierunkach i stuka w piętę małym gumowym młoteczkiem.

Oczywiście, przez cały ten czas drę się wniebogłosy. Nie muszę wcale udawać, przez to kopanie w łóżko moja pięta przypomina teraz surowego mielonego kotleta. Dwaj lekarze odchodzą na bok – „pora na konsultację", jak się domyślam. Może uznają, że trzeba mnie zwolnić z wojska z przyczyn medycznych. Dostanę rentę inwalidzką. Drugi lekarz staje obok mojego łóżka. Pod pachą trzyma kartkę przypiętą do tekturowej podkładki.

– Służycie w kompanii dowodzenia, zgadza się, żołnierzu?

– Tak jest, panie doktorze, pluton zwiadowczo-rozpoznawczy.

– No, tam nie będziecie musieli zbyt wiele maszerować. Uważajcie tylko na tę stopę. – Znowu notuje coś na kartce. Podnosi wzrok i mruga do mnie. Lekarze, a zwłaszcza lekarze wojskowi, nigdy nie powinni mrugać. – Wracacie do służby. Pielęgniarka wyda wam bandaże, którymi będziecie owijać stopę. Wcale udana próba.

I w ten sposób przyszły malarz, inżynier, nauczyciel, psycholog i pisarz zostaje skazany na śmierć jednym mrugnięciem.

8

Kiedy spotka się tego kogoś

Wracam do naszej fabryki i wyciągam się na pozbawionej materaca pryczy, próbując wbić sobie do głowy, że znowu jestem w wojsku, w tym samym wojsku. O tym, że spędziłem kilka dni w szpitalu, świadczą jedynie dwa płócienne suspensoria i otarta, zabandażowana stopa. Nie mija nawet godzina i w drzwiach pojawia się Diffendorf, nasz łysiejący listonosz. To on pierwszy poinformował mnie o tym szczęśliwym fakcie, że zanim dociągnę do trzydziestki, będę bardziej łysy od niego. Być może był to klasyczny przykład samospełniającego się proroctwa, w każdym razie od tamtej pory obserwuję moje stale powiększające się czoło, które w tej chwili sięga właściwie do karku.

Tym razem Diffendorf informuje mnie radośnie, że pułkowy S2 – oficer wywiadu – major Love, chce mnie widzieć, i to natychmiast.

Zmieniam koszulę, sprawdzam guziki, wycieram noski nowych butów o tył spodni. Głupi nawyk, buty błyszczą, ale spodnie robią się szorstkie jak zamsz i strasznie nasiąkają wodą.

Ruszam uliczką niewielkiego angielskiego miasteczka Bidulph, położonego gdzieś w krainie zwanej Midlands. Na kwaterę S2 przeznaczono pokoje w ratuszu, jednym z nielicznych budynków w mieście, przed którym pozostał ozdobny żelazny płotek. Wszystkie pozostałe furtki, płoty i kraty zostały wyrwane, przetopione i, jak przypuszczam, przerobione na szrapnele. Mijam wartownika stojącego w ozdobnej bramie. Nazywa się Thompson, gra na trąbce w pułkowej orkiestrze. Kiedy koło niego przechodzę, próbuje ukryć przede mną papierosa.

Wchodzę do środka. Za biurkiem siedzi Taylor, adiutant Love'a. Salutuję, zgodnie z obowiązującą w takiej sytuacji wojskową rutyną.

– Szeregowy Wharton, mamy dla was pewne zadanie.

– Tak jest.

Odgrywamy wszystko, jak się należy. Taylor sięga do szuflady biurka i wyciąga teczkę pełną papierów i folii.

– Z tego co wiem, w Jackson mieliście najlepsze wyniki w teście na czytanie i kopiowanie map.

Uśmiecha się do mnie i zapala papierosa. Do jasnej cholery, ciągle stoję na baczność, nie dał nawet „spocznij". Zastanawiam się, czy sam nie powinienem wydać sobie takiego rozkazu. Ten fiut nawet by pewnie nie zauważył. Może dostał jakąś wiadomość od tego specjalisty w szpitalu i właśnie zamierza wyciąć mi jakiś niespotykany numer. Nie puszczam pary z ust. Stoję na baczność. Chyba czyta w moich myślach.

– Spocznijcie, szeregowy.

Rozluźniam się zgodnie z regulaminem.

– Major Love uważa, że powinniśmy mieć plan tego miasta i jego okolic. Sądzi, że jest to właściwa wojskowa procedura. Nigdy nie wiadomo, co się stanie. Szkopy są zdolne do wszystkiego, przypomnijcie sobie tylko tego Hessa, który o mało co nie wskoczył królowej do komina. Musiał sam oddać się do niewoli, bo ci Angole nigdy by go nie złapali.

Milczę, szczerze mówiąc, nigdy nie słyszałem o Hessie. Nie interesuję się polityką. Cała ta wojna jest dla mnie czymś w rodzaju kokluszu czy odry, które trzeba po prostu przeczekać, a może nawet jeszcze bardziej przypomina mi wietrzną ospę, kiedy nie wolno się drapać, jeśli nie chce się mieć wielkich blizn na twarzy i całym ciele. Robię wszystko, co w mojej mocy, by tylko się nie drapać.

Taylor podaje mi teczkę. To będzie najdziwaczniejsza rzecz, jaka do tej pory przydarzyła mi się w wojsku, choć na razie nie zdaję sobie jeszcze sprawy z tego, jak dziwne rzeczy potrafią dziać się w wojsku. Czuję to wyraźnie w kościach, a zwłaszcza w ostrodze piętowej.

Czy naprawdę spodziewa się, że pójdę do miasta i zrobię rysunek każdego domu? Wsuwam jednak teczkę pod pachę i staję na baczność, tak w połowie przynajmniej.

– Potrzebny nam będzie kompletny plan z umiejscowieniem wszystkich budynków i podaniem ich przeznaczenia. Fabrykę, w której mieszkacie, oznaczcie jako koszary, zaznaczcie też położenie bazy transportowej. Umieśćcie na planie wszystkie drogi, nawet małe ścieżki. Odległości wyznaczcie w jardach. Wszystko oczywiście w skali. Gdyby wchodziły w grę jakieś szczegóły, zróbcie oddzielne małe plany odpowiednich terenów. Postarajcie się uwzględnić topografię, zwłaszcza wzniesienia. Skalę możecie wybrać sobie sami, ale zróbcie porządną legendę, tak by major miał od razu pojęcie, o co chodzi. Zwalniam was ze wszystkich obowiązków, tutaj macie przepustkę, żebyście mogli chodzić po mieście bez kłopotów. Postarajcie się nie rzucać w oczy, na ile to możliwe. Gdybyście potrzebowali stołu kreślarskiego, możecie go pobrać z magazynu, tam też dostaniecie wszystko, co może wam być potrzebne. Zrozumiano?

Nie mam właściwie pojęcia, o czym on mówi. Ale wizja przepustki, dzięki której będę mógł chodzić, gdzie tylko chcę, i że nie będę już zamknięty w fabryce, bardzo mi się podoba. Kiwam głową z entuzjazmem.

– Tak jest, zrobię wszystko, co w mojej mocy.

Salutuje. Odpowiadam mu zamaszyście i odwracam się na pięcie z teczką pod pachą. Będę potrzebował kilku ołówków i piórek kreślarskich, ale nie chcę teraz o nie prosić, żeby niczego nie zepsuć.

Zatrzymuję się przed drzwiami biura, przy biurku dyżurnego, i odbieram moją przepustkę. Dostaję też dwa ołówki 2B i, co zabiera mi trochę czasu, wyłudzam od niego czarne wieczne pióro. Uznaję, że teraz pora przejść się po mieście i rozejrzeć za jakimś sklepem papierniczym, gdzie będę mógł kupić prawdziwe piórko kreślarskie i tusz. Przyda mi się też liniał i przykładnica. Coraz bardziej angażuję się w tworzenie planu.

Poza tym teraz stałem się turystą. Wspinam się na wzgórze, aby obejrzeć miejscowy kościół, od dawna miałem na to ochotę. Po drodze wyskakuje z bramy dwóch chłopaków z żandarmerii wojskowej i zatrzymuje mnie. Pokazuję im moją magiczną przepustkę, a oni tylko salutują. Mógłbym być niemieckim szpiegiem z podrobioną przepustką, a pójdę o zakład, że ci idioci i tak by mnie przepuścili.

Może Williams ma rację i ta wojna naprawdę nikogo nie obchodzi. Zaraz, zaraz, może udałoby mi się sporządzić plany, a potem sprzedać je Niemcom? W ten sposób mógłbym wydostać się z wojska. Podciągnąłbym mój niemiecki, zniknął w Alpach i nikt nawet nie zauważyłby różnicy. Nie, dostaliby mnie w końcu. Przy moim szczęściu jakiś zwariowany amerykański narciarz znalazłby malutką chatkę na zboczu i doniósłby na mnie.

Drzwi kościoła są zamknięte na klucz, ale po drugiej stronie wzgórza widzę niewielki sklepik stanowiący połączenie kiosku z gazetami z papierniczym. Za ladą stoją starsza pani i bardzo śliczna dziewczyna. Kieruję się w stronę młodszej, ale starsza pani zdecydowanie zastępuje mi drogę. Jest wyraźnie zaskoczona widokiem żołnierza. Wszyscy mieszkańcy z pewnością wiedzą o naszej obecności w miasteczku, ale istnieje swego rodzaju milcząca umowa, wszyscy udajemy, że nic nie widzimy i o niczym nie wiemy.

Próbuję wyjaśnić, czego potrzebuję. Starsza pani jest wyraźnie zakłopotana, ale dziewczyna od razu podchodzi do mnie. Ma bardzo ciemne włosy i cudowne, fiołkowe oczy. Zdejmuje z półek kilka zakurzonych pudełek, w których znajdują się pióra, grafiony, najlepsze do kreślenia map, choć od niej kupiłbym nawet połamane gęsie pióra. Podaje mi też kilka perłoworóżowych gumek najwyższej jakości. Arcyszpieg został chyba od razu rozszyfrowany.

Daje mi też kilka grubych dwunastocalowych drewnianych linijek i, nie do wiary, przezroczystą przykładnicę.

Przez cały czas próbuję nawiązać rozmowę. Nie

mogę im powiedzieć, czym naprawdę zamierzam się zająć, choć zapewne już się tego domyśliły. Mówię więc im, że jestem malarzem i dla zabicia czasu chcę się zająć rysowaniem widoków miasteczka.

Przypomina mi się stary film z Ronaldem Colemanem w roli głównej, którego bohater wędrował przez angielską prowincję z przenośnymi sztalugami na plecach i podśpiewywał: *Kiedy spotka się kogoś, wędrując przez żyto.* Przez następne pół roku film ten pojawiał się w moich marzeniach. Być może miał wpływ na to, że postanowiłem zostać malarzem. Oczywiście, bohater spotyka na swej drodze niezwykle piękną dziewczynę, która uważa go za dar niebios, ponieważ potrafi rysować i malować.

Zastanawiam się, czy udałoby mi się namówić Taylora na zakup sztalug, nie musiałbym wtedy wlec ze sobą składanego stolika. Powiedział przecież, że mam nie zwracać na siebie uwagi. Może powinienem ubrać się po cywilnemu, na przykład w jakieś staromodne tweedy i czapeczkę à la Sherlock Holmes. Anglicy nie zastrzeliliby mnie chyba jako szpiega, choć kto wie. Nie mam już zaufania do ludzi, którzy podejmują takie decyzje.

Na wystawie sklepu stoją wspaniałe drewniane sztalugi ze skrzynką. Pytam o cenę, kosztują niecałe dziesięć funtów. Taylor nigdy nie zdobędzie dla mnie takich pieniędzy, nawet gdyby próbował. Udaję jednak, że poważnie zastanawiam się nad zakupem, wszystko dla bezpieczeństwa narodowego. Pytam dziewczynę o nazwisko, przedstawia się jako panna Henderson. Spoglądam na nią, udając Ronalda Colemana.

– Mogę nazywać cię Fiołkiem?

W odpowiedzi rumieni się i odwraca. Domyślam się, że spieprzyłem sprawę. Co zrobiłby na moim miejscu Ronald Coleman?

Na szczęście mam w kieszeni nieco ponad dziesięć funtów, więcej niż potrzeba. Proszę tylko o rachunek. Spróbuję odzyskać pieniądze, jeśli będzie to możliwe. Nagle przypominam sobie, że będzie mi jeszcze potrzebny tusz, i proszę o niego. Dziewczyna odwraca się bez słowa i bierze z półki butelkę. Odkręca ją, aby sprawdzić, i rzeczywiście, tusz wysechł. Otwiera tak kolejno trzy butelki, zanim znajduje dobrą. Tusz już taki jest, gęstnieje i zasycha, pełno w nim wtedy okruchów i nie da się go już użyć do pisania piórem czy grafionem. Miło, że pamiętała, by to sprawdzić.

– Dziękuję, panno Henderson, nie ma nic gorszego od czarnego piasku zamiast tuszu.

Przygląda mi się fiołkowymi oczami.

– Tak naprawdę mam na imię Michelle. Brzmi z francuska, prawda?

– Ja mam na imię William, ale przyjaciele mówią mi Will. Mam nadzieję, że jeszcze się zobaczymy.

Uśmiecha się, wydaje resztę i patrzy mi prosto w oczy.

– Być może, Williamie, będziesz potrzebował następnej buteleczki tuszu.

Zaczynam teraz chodzić po mieście, mierzę odległości, liczę budynki, robię notatki, nucę pod nosem: *Kiedy się spotka kogoś*, wspominając cudowne, fiołkowe oczy. Szykuje mi się fantastyczne zadanie bojowe. Idę właśnie, licząc kroki od kościoła do urzędu burmistrza, kiedy zauważam Michelle, która zbliża się ku mnie. Niesie niewielką płócienną siatkę pełną zakupów. Chodząc po miasteczku, zauważyłem, że dzisiaj jest dzień targowy; okoliczni rolnicy przyjeżdżają, aby sprzedać swoje towary, które nie są objęte racjonowaniem. Podnoszę wzrok i w tej samej chwili gubię się w obliczeniach. Michelle zatrzymuje się przede mną.

– Co ty robisz, Williamie? Widzę czasami, jak chodzisz ulicami i notujesz coś na kartkach. Nie wygląda mi na to, byś zajmował się rysowaniem.

Przyznaję się jej do tego, co robię. Najpewniej zdradzam właśnie tajemnice wagi państwowej nieprzyjacielskiemu szpiegowi, który został przysłany do tego miasteczka dwadzieścia lat temu i ma w sypialni radiostację. Lubię rozmyślać o jej sypialni.

– Próbuję narysować plan miasteczka. Mój dowódca uważa, że to dobry pomysł. Na wypadek gdyby Niemcy chcieli szturmować ze wzgórz, lepiej wiedzieć, w którą stronę mamy uciekać.

Chwyta w obie dłonie siatkę i przez chwilę wymachuje nią w powietrzu. Spogląda na mnie pytająco tak jak wtedy w sklepie.

– Williamie, jestem pewna, że w miejskim archiwum są plany. Myślę, że pozwolą ci z nich skorzystać, jeśli tylko poprosisz. Jeśli zechcesz, mogę o to zapytać. Mój wuj jest radnym miejskim.

Uśmiecha się i odchodzi. Dzieli ją już ode mnie pięć kroków, kiedy nagle przypomina o sobie Ronald Coleman.

– Jak się dowiem, czy będę mógł skorzystać z planów? Do kogo mam się zwrócić, Michelle?

– Przyjdź dzisiaj po południu do sklepu. Wtedy będę już wszystko wiedziała.

Rusza dalej w górę wzgórza. Czuję się zupełnie zagubiony. Nie potrafię sobie przypomnieć, nawet z dokładnością do stu, do ilu kroków doliczyłem. Czekam, aż Michelle zniknie mi z oczu, a później ponownie wspinam się na szczyt i zaczynam liczyć od nowa. U stóp wzgórza (całe miasteczko położone jest na jego zboczu) ciągnie się drewniany płot z bramą, otaczający, jak mi się wydaje, pastwisko dla krów. Wystarczy otworzyć bramę, by znaleźć się na otwartej przestrzeni. Wszystko wokół mnie ma barwę głębokiej zieleni. W Pensylwanii mamy trochę ładnej zieleni, ale takiego koloru można by się spodziewać wyłącznie w Irlandii.

Taylor mówił, że mam umieścić na planie również okolice miasteczka, przechodzę zatem przez bramę i ruszam przez pole w stronę niskiego wzgórza, z którego szczytu rozpościera się wspaniały widok na całą okolicę. Widzę stąd kościół na szczycie wzgórza, linie większych ulic i przecinających je małych uliczek schodzących do ogrodzenia u stóp wzgórza. Na polu pasą się owce, domyślam się teraz, że płot wzniesiono po to, by nie wchodziły do miasta. Podobna bramka zamyka każdą boczną uliczkę. Spędzam wczesne popołudnie, rysując panoramę miasta, później wykańczam rysunek tuszem. Nie wracam do fabryki nawet na obiad. W sklepie kupiłem kilka twardych bułek i trochę sera i pogryzam je w czasie pracy. Kurczę, naprawdę coraz bardziej upodabniam się do Ronalda Colemana. Powtarzam w kółko *Kiedy się spotka kogoś.*

Około wpół do trzeciej mój obrazek jest gotowy. Nie podobają mi się wprawdzie pewne elementy, zwłaszcza wielki budynek fabryczny z cegły, wznoszący się w środku miasta. Wystaje z krajobrazu jak spuchnięty kciuk. Może nie powinienem był go umieszczać na rysunku. Ale nie tego spodziewa się po mnie Taylor. Gdyby chciał sprawdzić, co zrobiłem, będzie to dowód, że solidnie zabrałem się do pracy.

Kieruję się w stronę sklepu papierniczego. Michelle czeka na mnie sama, starszej pani nigdzie nie widać. Uśmiecha się, kiedy wchodzę. Podaje mi kartkę zapisaną staroświeckim charakterem pisma.

– Idź do biblioteki i pokaż to kobiecie, która tam pracuje. Będzie na ciebie czekać.

– Gdzie jest miejska biblioteka? Wszyscy szukamy czegoś do czytania, ale nikomu nie udało się znaleźć biblioteki.

– Wiesz, gdzie jest drogeria?

– Chodzi ci o sklep chemiczny?

– Tak, u was nazywa się to sklepem chemicznym. Tuż obok drzwi drogerii jest drugie wejście, mniejsze. Nie ma tam żadnego szyldu. Wejdź na górę i zastukaj do drzwi. Jak już mówiłam, bibliotekarka będzie na ciebie czekać. Nie powinieneś mieć żadnych kłopotów, znajdziesz tam wszystko, czego możesz potrzebować.

Chcę pokazać jej mój rysunek, ale zamiast tego kupuję jeszcze jedną perłoworóżową gumkę, której wcale nie potrzebuję. Michelle ponownie posyła mi czarowny uśmiech.

– Dziękuję za wszystko, panno Henderson. To na pewno oszczędzi mi mierzenia i chodzenia po mieście.

Pospiesznie ogląda się przez ramię.

– Kiedy jesteśmy sami, możesz mi mówić Michelle albo Fiołku, jak wolisz. Mamusia ciągle się boi, że za bardzo się zaprzyjaźnię z naszymi amerykańskimi gośćmi.

Znowu się uśmiecha. Próbuję odpowiedzieć „znaczącym" uśmiechem Ronalda Colemana i wycofać się ze sklepu, ale omal nie przewracam przy tym kolekcji wiecznych piór ustawionych na wystawie przy drzwiach.

Znajduję bibliotekę, pani za biurkiem rzeczywiście już na mnie czeka. Pokazuję jej kartkę, którą dała mi Michelle, rzuca na nią pospieszne spojrzenie i wycofuje się do sąsiedniego pokoju. W bibliotece jest najwyżej tysiąc książek i trochę czasopism oraz coś, co, jak sądzę, można by nazwać archiwum. Właśnie w tej części pomieszczenia znika bibliotekarka. Wyciąga trzy kartonowe teczki i wraca do dzielącego nas wąskiego kontuaru przypominającego półkę. Kontuar umocowany jest na zawiasach, można go więc uchylić, aby wejść do „biblioteki". Pani otwiera pierwszą teczkę i rozkłada ją przede mną.

To jest dokładnie to, czego potrzebuję. Trafiłem na żyłę złota. Leżą przede mną wspaniałe mapy topograficzne miasteczka i okolic. Wszystko narysowane jest w skali. Wpatruję się z podziwem w rysunek. Wykonano go z większą troską i talentem, niż ja byłbym w stanie włożyć w tę pracę. Uśmiecham się do bibliotekarki.

– Czy nie będzie pani miała nic przeciwko temu, że skopiuję te mapy? Mój dowódca polecił mi przygotować plan miasta do celów obronnych.

Bibliotekarka przygląda mi się z uśmiechem. Później jednak ściąga wargi.

– Tak, ale nie wolno panu wynosić ich z biblioteki. To zabronione. Będzie pan musiał pracować tutaj.

Jest mi to jak najbardziej na rękę. Nie mam przecież najmniejszej ochoty pracować w polu lub w fabryce pełnej żołnierzy, którzy zachowują się jak zwierzęta.

– Ale czy nie będę pani przeszkadzał? Byłbym bardzo wdzięczny, gdybym mógł pracować właśnie tutaj.

Unosi kontuar i wpuszcza mnie do środka. Zdejmuje książki z jednego ze stołów.

– Czy wystarczy panu tyle miejsca do pracy?

Upewniam ją, że to więcej, niż mogłem się spodziewać. Bibliotekarka przenosi teczki na mój stół, a ja rozkładam na nim moje przybory.

Pracuję przez pozostałą część popołudnia. Nikt nie przychodzi do biblioteki. Może jest to biblioteka publiczna, ale wygląda mi na to, że publiczność nie domyśliła się jeszcze, jak należy z niej korzystać.

Pozostałe plany są równie dobre. Drugi przedstawia wszystkie budynki publiczne. Wpisano nawet datę budowy. Trzeci podaje nazwiska właścicieli albo nazwę firmy mieszczącej się w danym budynku oraz rodzaj nawierzchni każdej drogi czy ścieżki.

Decyduję się połączyć wszystkie trzy plany w jeden. Posługując się kalką kreślarską, wykonuję pierwszą kopię, którą wykorzystuję później do narysowania tuszem „oryginału". Mając do dyspozycji takie materiały, będę miał się naprawdę czym pochwalić, kiedy skończę. Mogę pracować nad tym kilka tygodni, oczywiście jeśli będziemy stacjonować tutaj dostatecznie długo. Może uda mi się przygotować tak wspaniały zbiór planów, że przeniosą mnie z plutonu zwiadowczo-rozpoznawczego do S2, a może nawet do G2. Już sama ta myśl wystarczy, bym zabrał się porządnie do roboty.

Wielki drewniany zegar wiszący na ścianie pokazuje wpół do szóstej, kiedy bibliotekarka mówi, że musi już zamykać. Mówi to w taki sposób, jak gdyby uważała, że wyrzucając mnie z biblioteki, uniemożliwia mi wykonanie niezwykle ważnego zadania bojowego, tak mi się przynajmniej wydaje. Przez cały dzień nawet się do mnie nie zbliżyła. Może obawia się, że zobaczy coś, czego w żadnym wypadku nie powinna oglądać?

– Czy mógłbym zostawić moje rysunki w bibliotece?

– Oczywiście, tylko czy jest pan pewien, że będą tutaj całkowicie bezpieczne?

– Tak będzie mi najwygodniej. O której pani jutro otwiera?

Powtarza wyuczoną odpowiedź:

– Biblioteka jest otwarta od dziewiątej do dwunastej i od drugiej do szóstej codziennie z wyjątkiem sobót i niedziel. W soboty jest otwarta przez cały dzień, od dziewiątej do szóstej. W niedziele biblioteka jest nieczynna. Jeśli jednak pan sobie życzy, może pan przychodzić tutaj i pracować, kiedy pan tylko chce. Zostawię klucze Michelle Henderson, a ona wpuści pana do środka.

Nawet nie marzyłem o czymś takim. Ronald Coleman byłby ze mnie dumny. Zabieram ze sobą kilka kalek, które dzisiaj wykonałem, żeby pokazać je Taylorowi, gdyby pytał, czym się zajmowałem. Panoramę miasta postanawiam zatrzymać dla siebie.

I tak jest już codziennie, rano zasiadam przy bibliotecznym stoliku. Naprawdę czuję się tak, jakby wypuszczono mnie z wojska. Zdobywam mnóstwo arcyciekawych informacji i wykonuję wiele rysunków. Nie mógłbym chyba mniej rzucać się w oczy. Wydaje mi się, że w całym miasteczku są najwyżej trzy osoby, które wiedzą o mojej pracy. Tylko Michelle przestała się pojawiać. Raz zachodzę do jej sklepu, by kupić buteleczkę tuszu, ale tym razem spotykam tylko jej matkę. Jest dla mnie uprzejma, ale domyślam się, że lepiej będzie, jeśli nie będę pytał o Michelle. Starsza pani daje mi buteleczkę bez sprawdzania jej zawartości, ale kiedy wracam do biblioteki, przekonuję się, że wszystko jest w porządku. Szkoda. Miałem nadzieję, że będę miał wymówkę, by wrócić do sklepiku.

Wszyscy w fabryce zastanawiają się, co robię, gdzie codziennie znikam. Dostaliśmy materace ze słomy i juty. Żołnierze powoli świrują. Krążą tysiące plotek o tym, co zdarzy się za chwilę. Ćwiczenia na dziedzińcu trwają całymi dniami, musztra, strzelanie i walka na bagnety. Udało mi się, naprawdę.

Nadchodzi niedziela. Sklep papierniczy jest oczywiście zamknięty. Właśnie się odwracam, kiedy okno nad wystawą sklepową otwiera się i pojawia się w nim Michelle. W wyciągniętej ręce trzyma klucz.

– Zaraz zejdę na dół. Mamusia poszła do kościoła.

Schodzi po schodach podobnych do tych, które prowadzą do biblioteki. Bez fartuszka, który zakłada do pracy w sklepie, wygląda jeszcze piękniej. Próbuję nie gapić się na nią zbyt otwarcie. Ona odwraca wzrok i razem ruszamy ulicą. Zaskakujące, jak ciche potrafi być w wojenną niedzielę takie małe miasteczko.

Michelle prowadzi mnie do biblioteki i puszcza przodem. Przez chwilę obawiam się, że nie wejdzie do środka, ale nie, wchodzi i zamyka za sobą drzwi na klucz.

– Chciałabym zobaczyć, co robiłeś przez cały ten czas. Mamusia powiedziała mi, że kupiłeś następną butelkę tuszu, więc musiałeś coś robić, chyba że wylałeś poprzednią.

Otwieram teczkę i pokazuję jej moje mapy. Naprawdę uważam, że mogę być z nich dumny. Michelle pochyla się nad planem, a ja staję obok niej. Pachnie mydłem, nie używa żadnych perfum. Wydaje mi się taka piękna, taka delikatna. Nagle przychodzi mi do głowy, że teraz podobałaby mi się każda kobieta.

Wyczuwa pewnie, że za nią stoję, bo prostuje się gwałtownie. Patrzy mi w oczy.

– Rogerowi bardzo by się to spodobało. Był nauczycielem w naszej szkole. Dwa lata temu, zanim odszedł, poproszono go, by przygotował wszystkie te plany. Nienawidził tej roboty, twierdził, że jest specjalistą od literatury, a nie jakimś tam malarzem. To jego matka prowadzi bibliotekę, rozumiesz, a te wszystkie książki należą do niego. To był jego pomysł, chciał, żeby mieszkańcy miasteczka i jego dawni uczniowie mieli łatwy dostęp do biblioteki, żeby nie musieli jeździć do Congleton czy Henley. Bardzo kochał książki, był takim cudownym człowiekiem.

A zatem wiem już, na czym stoję. Nawet dla Ronalda Colemana byłoby to wyzwanie. W filmie nie zdarzyło się nic podobnego. Nagle, zanim udaje mi się cokolwiek powiedzieć, Michelle patrzy mi prosto w oczy.

– Naprawdę chcesz się tym dzisiaj zajmować?

Odpowiadam jej uśmiechem. Czuję się tak, jak gdyby czytała w moich myślach. Musiała się domyślić, że przyszedłem dzisiaj do sklepu tylko po to, by ją zobaczyć. Nie dała się oszukać udawanemu Ronaldowi Colemanowi.

Pracuję jednak mniej więcej przez godzinę, w tym czasie opowiadam jej o panoramie miasteczka, którą narysowałem z sąsiedniego wzgórza, Michelle chce już iść. W drzwiach odwraca się do mnie.

– Mamy dzisiaj piękny dzień, a ze wzgórza, z którego rysowałeś, rozciąga się najpiękniejszy widok na okolicę. Może wybralibyśmy się razem na piknik?

Kiwam bezmyślnie głową, zdecydowanie nie w sposób godny Ronalda Colemana, a potem uśmiechamy się do siebie. Michelle mówi, że zapakuje do koszyka trochę prowiantu, umawiamy się o jedenastej przy płocie na końcu uliczki. Jej matka wróci do domu dopiero o wpół do pierwszej.

No cóż, przez pozostałą część tego poranka nie udaje mi się wiele zrobić. Wpatruję się w zegar wiszący na ścianie, co jakiś czas wydaje mi się, że stoi. W końcu jednak nadchodzi jedenasta, dłuższa wskazówka posuwa się naprzód krótkimi skokami, aż obie wskazówki zatrzymują się na za pięć jedenasta. Zamykam bibliotekę i kieruję się w stronę płotu, starając się nie spieszyć i nie biec. Ronald Coleman maszerowałby ulicą bardzo pewny siebie. Nie mogę powiedzieć tego o sobie.

Michelle już na mnie czeka. Jest ubrana tak samo jak rano, tylko na ramiona narzuciła błękitnozielony szal. Uśmiecha się do mnie i rozgląda dookoła.

– Bałam się już, że nie przyjdziesz. Bałam się

tak bardzo, że o mało co sama nie zostałam w domu.

– Jak mogłem nie przyjść? Przez cały ten czas wpatrywałem się w zegar.

Oboje jesteśmy trochę zakłopotani. Na szczycie wzgórza Fiołek rozkłada koc, który ma nam służyć za serwetę. Przygotowuje kanapki z sera i ciemnego chleba. Jak wspaniale, że nie muszę jeść ze wspólnego kotła.

Wyjmuję mój pierwszy rysunek, bardzo jej się podoba, wskazuje różne domy i mówi mi, kto w nich mieszka. Przytulając się do siebie coraz bardziej, pochylamy się nad rysunkiem. Może wojna nie jest wcale taka zła. Gdyby nie ona, nigdy nie poznałbym Fiołka.

Po jedzeniu pakujemy z powrotem koszyk, Michelle patrzy mi prosto w oczy, czuję, że moje serce przestaje na chwilę bić. Nie potrafię uniknąć jej wzroku. Wyciąga ku mnie rękę, ja zaś nakrywam jej dłoń swoją. Otwiera usta, jakby chciała coś powiedzieć, milknie, potem ponownie próbuje się odezwać. W jej oczach widzę łzy.

– Muszę ci o czymś powiedzieć, Williamie. – Bierze głęboki wdech. – Zamierzam wyjść za mąż za Rogera, tego, który sporządził te mapy. Nie jesteśmy oficjalnie zaręczeni, ponieważ mama uważa, że jestem jeszcze zbyt młoda, ale obiecaliśmy sobie nawzajem, że pobierzemy się, kiedy Roger wróci z wojny. – Urywa, spuszcza wzrok, ale później ponownie spogląda mi prosto w oczy. – Przepraszam, Williamie. Uznałam, że powinieneś o tym wiedzieć. Bardzo mi z tobą dobrze, naprawdę nie jesteś mi obojętny. Będę za tobą bardzo tęsknić, kiedy odjedziesz, ale kocham Rogera.

Jestem pewien, że Ronald Coleman wiedziałby dokładnie, co teraz zrobić, ale ja z całą pewnością nie wiem. Siedzę i milczę. Jeśli spojrzę w jej oczy, zacznę płakać. Michelle sięga do koszyka i wyjmuje z niego małą, zaklejoną kopertę.

– Williamie, masz tutaj adres mojej bardzo dobrej przyjaciółki. Przekaże mi wszystkie listy, które przyślesz. Obiecuję, że odpiszę. Zgadzasz się?

Nie potrafię powiedzieć „nie". Obiecuję, że napiszę do niej, gdziekolwiek bym się znalazł.

Wstajemy i idziemy powoli w stronę bramy. Nie odzywamy się do siebie. Zatrzymujemy się przy bramie i przez długą chwilę patrzymy sobie w oczy. Oboje jesteśmy bliscy łez. Ogarnia mnie wstyd. Jaki tam ze mnie Ronald Coleman? Nie pamiętam, by on kiedykolwiek płakał. Michelle podaje mi kopertę i ucieka. Stoję i patrzę za nią.

Dwa dni później przerzucili nas na wybrzeże. Nigdy więcej nie spotkałem Fiołka. Nie skończyłem pracy nad planami, to, co zdążyłem zrobić, przekazałem majorowi. Jestem pewien, że nigdy nikomu na nic się nie przydały.

Nie piszę do niej, a ona nie pisze do mnie. Nie mam adresu, który mógłbym jej podać, a koperta z adresem jej przyjaciółki zginęła. Dużo później dociera do mnie kartka od Fiołka, ale bez adresu zwrotnego. Roger zginął w walkach powietrznych nad Wielką Brytanią. Michelle pisze, że nie chce już dłużej żyć. Czuje się szczęśliwa, że mogła być ze mną choć przez tak krótki czas. Nadal nie potrafię się zebrać, by do niej napisać. Przetrząsam wszystkie moje rzeczy w poszukiwaniu koperty z adresem, ale nie mogę jej znaleźć. W czasie wojny bardzo trudno jest zachować coś osobistego.

9

D – 3

Opuściliśmy Bidulph równie cicho i szybko, jak przybyliśmy. Nie minął nawet miesiąc od przyjazdu, a już otrzymujemy nowe rozkazy. Mamy dwa dni na doprowadzenie wszystkiego do porządku i ponownie wsiadamy do nocnego pociągu. Zasadniczo wszyscy wiemy, co mamy robić, nikt jednak nie ma pojęcia, kiedy i gdzie, nawet oficerowie, nie mówiąc o podoficerach i szeregowcach. Kiedy przybywamy na miejsce, panują kompletne ciemności. Na niebie nie widać księżyca, a chmury sprawiają, że wydaje się jeszcze ciemniej. Rozbijanie namiotów w szczerym polu po ciemku jest nie lada wyczynem.

Wysiadamy z pociągu i oczywiście otrzymujemy rozkaz rozbicia namiotów. Teraz dzielę namiot z Gettingerem, który zajął miejsce Corbeila, dobry z niego sąsiad, nie chrapie i nie wierci się za bardzo przez sen. Należy przy tym do tych nielicznych ludzi, którzy potrafią zasnąć, kiedy tylko się położą. Zdecydowanie nie jestem w tym do niego podobny, ale staram się nie kręcić i nie przewracać z boku na bok. Pałatka jest stanowczo za ciasna dla dwóch dorosłych mężczyzn. Na szczęście ani Gettinger, ani ja nie jesteśmy szczególnie wysocy.

W trzy dni po przyjeździe zaczynamy ćwiczyć lądowanie na plaży przy użyciu barek desantowych. Mamy wprawdzie początek lata, ale w Anglii o tej porze roku nadal jest chłodno, a woda jest po prostu lodowato zimna. Łazimy w niej, przyglądając się białym klifom wznoszącym się nad plażami, starając się przy tym nie zamoczyć broni. Mamy tylko nadzieję, że we Francji nie ma podobnych klifów. Wielkim problemem jest codzienne suszenie mundurów. Co drugi dzień pada deszcz, a mamy tylko dwie pary spodni, dwie koszule i mundur polowy. Pewnie wszyscy zapadniemy na zapalenie płuc, zanim Niemcy będę mieli okazję zacząć do nas strzelać. Dziwnie się czujemy, obozując tak blisko nieprzyjaciela, musimy zachowywać się bardzo cicho. W nocy słyszymy przelatujące nad naszymi głowami samoloty, nad brzegiem unoszą się wielkie balony. Nie wygląda jednak na to, by ktoś próbował utrzymać całą sprawę w tajemnicy, chyba że przed nami.

Teraz zaczyna się przygoda, o której nie tylko nie opowiadałem dzieciom, ale w ogóle nikomu oprócz mojej żony. W wypadkach, które nastąpiły, nie tylko zachowałem się jak młody głupiec, ale zostałem postawiony w sytuacji tak niewiarygodnej, że sam po dziś dzień nie potrafię ani w nią uwierzyć, ani jej zrozumieć.

W pierwotnej wersji opuściłem tę przygodę. Wysłałem do mojej agentki wersję, którą uznałem za ostateczną. Byłem bardzo zadowolony, kiedy zadzwoniła do mnie, by powiedzieć, że książka zrobiła na niej ogromne wrażenie, tak że czytała ją przez całą noc, a podobne rzeczy rzadko zdarzają się agentkom. Czytanie manuskryptów stanowi znaczną część jej pracy i zwykle jest nimi zasypana, zdecydowanie nie chodzi tu o jakość, a wyłącznie o ilość.

Prosi mnie o ostateczną wersję maszynopisu, którą mogłaby wysłać do wydawców. Ma właściwie tylko jedną sugestię, książka jest zbyt krótka i jeśli to możliwe, dobrze byłoby włączyć do niej jeszcze przynajmniej jedną ciekawą przygodę, najlepiej taką, która rozdzieliłaby romantyczny pobyt w Bidulph i przejazd przez Francję w kierunku Paryża. Wyjaśniam jej, że ta książka opowiada o prawdziwych wydarzeniach i jest odmienna od poprzednich, które powstawały jako fikcja literacka, ja zaś nie mam nic ciekawego do powiedzenia o okresie, o którym wspomniała. Nagle zdaję sobie sprawę z tego, że kłamię.

Dzwonię do Rosalie raz jeszcze i opowiadam jej niewiarygodną historię o mojej tak zwanej „pierwszej walce". Mimo upływu tak wielu lat brzmi ona równie głupio i niewiarygodnie jak wtedy, kiedy się to wszystko zdarzyło. Rosalie jednak jest pod ogromnym wrażeniem. Twierdzi, że byłby to najciekawszy fragment książki. Myśli kategoriami literackimi, nie zdając sobie sprawy z ograniczeń, jakie narzuca fakt, że pisząc tę książkę, muszę wiernie odtwarzać wszystko w pamięci. Dostatecznie wiele razy zdarzało mi się już powtarzać, że wszystko, co przechodzi przez ludzki mózg, automatycznie staje się fikcją, ze względu na nieunikniony wpływ osobowości. Pracując nad tą książką, starałem się jednak osiągnąć coś więcej.

Martwi mnie ten pomysł i niełatwo przychodzi mi zabrać się do opisania tej przygody. Szukam w pamięci jakichś innych ciekawych wydarzeń, ale nic nie przychodzi mi do głowy.

Maluję właśnie portret mojego dobrego przyjaciela prawnika, w altanie stojącej w ogrodzie jego nadmorskiego domu w Delmar, wspaniałym miejscu na spędzenie zimy. Przedstawiam mu mój dylemat jako kwestię prawną.

– Wyobraź sobie, Dwight, że masz klienta. Część jego sprawy stanowi pewne wydarzenie. Twój klient twierdzi, że miało ono miejsce naprawdę i ma na to dowody. Mimo to wydaje ci się to absolutnie niewiarygodne. Wiesz jednak, że gdyby uwzględnił je w swoich zeznaniach, przegrałby proces przed każdym sędzią czy ławą przysięgłych. Co byś mu poradził?

Dwight jest dobrym modelem i równie dobrym prawnikiem, zastanawia się nad moim pytaniem przez trzy minuty.

– No cóż, w układzie klient–prawnik przyjmuję zawsze zasadę, że sprawa należy do klienta, nie do adwokata. Udzieliłbym mu porady, powiedziałbym, co moim zdaniem wydarzy się przed sądem, doradziłbym mu, by nie ujawniał takiej sytuacji, chyba że zostanie o nią zapytany bezpośrednio, kiedy będzie zeznawał pod przysięgą. To on musi podjąć decyzję. Zbyt wielu prawników uważa, że każda sprawa należy właśnie do nich, nie do klientów, ja tak nie sądzę. Prawdopodobnie zatem nie jestem odpowiednią osobą, by udzielić odpowiedzi na twoje pytanie. – Ustawia się ponownie, a ja wracam do malowania, nadal nie podejmując żadnej decyzji.

Następnego dnia jednak siadam do pisania przed moim komputerem. Wiem, że mój syn, który pomagał mi zbierać materiały do tej książki, chce bardzo, bym umieścił w niej jeszcze jedną przygodę, wie nawet nieco o historii, nad którą tak bardzo się teraz zastanawiam.

Postanawiam, że opiszę to wszystko dla niego,

wyślę drugi egzemplarz do Rosalie i pozwolę im zadecydować.

Teraz wszystko leży w ich rękach. Co zrobiłem źle? Jak powinienem był wtedy postąpić? Pamiętajcie, że miałem wtedy dziewiętnaście lat.

Wszystko zaczyna się od tego, że zaraz po obiedzie w naszym obozie pojawił się wóz z dowództwa. Kończę właśnie koktajl owocowy, który kucharz wlał do mojej menażki na resztki ziemniaków i gulaszu. Kolejka do wiadra, w którym mógłbym umyć menażkę, jest zbyt długa, a w końcu i tak wszystko to zmiesza się w moim żołądku. Umyję menażkę i sztućce, kiedy wszyscy już skończą.

Okazuje się, że porucznik, który przyjechał wozem z dowództwa, prowadzonym przez kierowcę w stopniu plutonowego, szuka właśnie mnie. Nie mam pojęcia, czego powinienem się spodziewać, może nagle zmienili zdanie i postanowili nie wysyłać do walki kaleki z żylakiem na jądrze i chorą piętą. Nie mógłbym chyba bardziej się mylić.

Po raz pierwszy w życiu wsiadam do samochodu dowództwa. Jest tu stanowczo więcej miejsca niż w jeepie. Całe tylne siedzenie mam wyłącznie dla siebie. Kiedy samochód przejeżdża pomiędzy namiotami, macham do Gettingera i pozostałych chłopaków, ale oni nie odpowiadają, tylko gapią się na mnie.

Jedziemy około trzech mil, stale oddalając się od wybrzeża. Nieźle to wygląda. Nagle wyrasta przed nami wielki dom. Wszędzie wokół kręcą się uzbrojeni strażnicy, także na wysypanym żużlem podjeździe. Samochód zatrzymuje się, a porucznik gestem poleca mi, bym poszedł za nim.

Teraz dopiero zaczynam się denerwować. Co mogli dla mnie wysmażyć? Mam nadzieję, że nie chodzi o sąd polowy za coś, czego nie dopatrzyłem. Nie, to nie może być żaden drobiazg. Czeka mnie coś naprawdę wielkiego.

Dopiero wysiadając z samochodu, zdaję sobie sprawę z tego, że zapomniałem o moim karabinie – kiedy po mnie przyjechali, jadłem właśnie obiad. Dobrze, że przynajmniej mam na głowie hełm. Zgodnie z rozkazami mamy nosić te ciężkie garnki niezależnie od tego, co robimy. Nawet kiedy śpimy, powinniśmy mieć je jak najbliżej siebie.

Wchodzę do środka za porucznikiem. Jak się okazuje, jest to zwyczajny dom z kompletnym wyposażeniem, meblami i dywanami, bardzo sympatyczne miejsce jak na środek wojny. Porucznik nie odezwał się do mnie jeszcze ani słowem. Odzywanie się do oficera bez pytania nie jest chyba najlepszym pomysłem, więc sam też nic nie mówię.

W końcu wchodzimy do wielkiego pokoju; ściany zastawione są półkami pełnymi książek. Domyślam się, że to pomieszczenie służyło kiedyś jako biblioteka. Ogromne okna sięgające od sufitu do podłogi są starannie zaciemnione. Na zewnątrz jest wciąż jasno, tutaj jednak palą się wszystkie lampy. Porucznik wskazuje mi krzesło stojące pod ścianą i wychodzi. Wokół ogromnego biurka ustawionego na środku pokoju zebrało się trzech oficerów. Przyglądają się czemuś, co leży na blacie biurka. W pierwszej chwili nie widzę, co to jest, ale jeden z nich gestem każe mi się zbliżyć. Staję na baczność i salutuję, a on odpowiada niedbałym salutem.

– Spocznijcie, szeregowy.

Przechodzę do mojej prywatnej wersji „spocznij". Rzucam okiem na biurko. Okazuje się, że przyglądają się moim planom, które zrobiłem w Bidulph. Co jest grane? Zamierzamy dokonać inwazji na Anglię? Ogarnia mnie strach, bo teraz nic już nie rozumiem.

– Czy to wy sporządziliście te plany Bidulph, szeregowy?

Zdecydowanie zabrzmiało to jak pytanie. Kiwam głową, dopiero po chwili zbieram się w sobie.

– Tak jest. Na polecenie majora Love'a.

Zastanawiam się, jak udało im się odkryć, że skopiowałem je z planów przechowywanych w bibliotece. Czy możliwe, że z punktu widzenia wojska jest to przestępstwo?

– To bardzo dobre plany. Z waszych papierów wynika, że wyjątkowo dobrze radziliście sobie z obsługą radiostacji 506 i potraficie posługiwać się alfabetem Morse'a. To prawda?

O co w tym wszystkim chodzi? Może zostanę przeniesiony do G2, dostanę jakąś supertajną robotę?

– Tak jest. Nauczyłem się tego w przedostatniej klasie liceum. Mieliśmy zajęcia z maszynopisania i spisywaliśmy wiadomości z płyt. Nie byłem szczególnie dobry, ale inni też mieli z tym kłopoty.

– Tutaj podano, że pisałeś na maszynie sześćdziesiąt dwa słowa na minutę, a alfabetem Morse'a jeszcze szybciej.

Nie pamiętam już tego, zapisałem się na te zajęcia, bo mój autobus przyjeżdżał wcześnie, a dyrektor naszej szkoły zgodziłby się zrobić wszystko, byle tylko pomóc w „wysiłku wojennym". Nie muszą przecież o tym wiedzieć.

– Tak jest. Nie wiem tylko, czy teraz potrafiłbym pisać tak samo szybko, wyszedłem z wprawy.

– Rozumiem, nie szkodzi. – Milknie na chwilę, a potem zwraca się do stojącego obok oficera. Dopiero wtedy zauważam, że jest podpułkownikiem, tak jak dowódca naszego pułku. Nigdy wcześniej go nie widziałem. Ponownie odwraca się twarzą do mnie. – Służycie w plutonie zwiadowczo-rozpoznawczym i przeszliście szkolenie spadochroniarskie w Fort Benning. Zgadza się?

Nie musi o to pytać. Wszystko jest zapisane w moich dokumentach, które leżą na biurku obok planów. Uznaję, że lepiej będzie, jeśli nic nie odpowiem. Nauczono nas, że jeśli zostaniemy wzięci do niewoli, mamy podawać tylko nazwisko, stopień wojskowy i numer. Czuję się teraz tak, jak gdybym właśnie został pochwycony przez wroga. Może to tylko niemieccy szpiedzy, którzy zdobyli amerykańskie mundury i sprzęt. Uznaję, że to wszystko jest śmieszne. Co mi tam, widziałem już w wojsku dosyć śmiesznych rzeczy.

– Mamy dla was specjalne zadanie, szeregowy. Chodzi o patrol. Oceny za służbę patrolową również macie bardzo dobre.

Czekam, serce dosłownie podchodzi mi do gardła. Jak mogę iść na patrol, jeśli nie zaczęliśmy jeszcze walczyć?

– Zadanie to musi pozostać ściśle tajne, szeregowy. Nie wolno wam o nim mówić absolutnie nikomu. Nie rozmawiajcie nawet z żadnym z żołnierzy z waszego pułku. Rozumiecie?

Tak naprawdę nic nie rozumiem, ale kiwam głową potakująco.

– To bardzo ważna misja. Nie możemy was zmusić, byście się jej podjęli, ale jesteście naszym najlepszym kandydatem.

Teraz słucham go z uwagą. Muszę się bardzo starać, żeby nie otworzyć ust ze zdziwienia.

– Z tych plaż uderzą trzy grupy, amerykańska, brytyjska i kanadyjska. Wszystkie trzy ruszą w tym samym czasie, jedna za drugą. Rozumiecie?

Tak, rozumiem, choć wcale tego nie chcę. Zdecydowanie nie powinni o tym mówić zwykłemu szeregowcowi. Armia jest wprawdzie zwariowana, ale wszystko ma swoje granice.

– Zamierzamy was zrzucić ze spadochronem za główną niemiecką linię obrony. To swego rodzaju ziemia niczyja. Pozostała część niemieckiej obrony została wycofana poza zasięg naszej dalekosiężnej artylerii.

Milknie, a ja czekam. Czuję się, jakbym brał udział w scenie z jakiegoś marnego filmu. Gdzie się podziali Van Johnson, John Wayne? Oni potrafią grać takie rzeczy. Stoję tylko i czekam.

– Czy chcesz służyć swemu krajowi, młody człowieku?

Co by się stało, gdybym powiedział „nie"? Mówię jednak „tak"; cichutkie, prawie niesłyszalne „tak".

– Gratuluję. Jeśli misja się powiedzie, osobiście dopilnuję, byście zostali odznaczeni co najmniej Srebrną Gwiazdą. Rozumiecie?

Znowu patrzy mi prosto w oczy. Moje prawie niesłyszalne „tak" musiało zbić go nieco z tropu. Nie dodałem nawet „panie pułkowniku".

– Obecny tu major McGeehan wyjaśni wam wszystkie szczegóły. Jeśli uważacie, że nie nadajecie się do tego zadania, zawsze możecie się wycofać. Nikt nie będzie miał wam tego za złe. Zrozumieliście, szeregowy?

Wszystko zrozumiałem, a najbardziej to, że

znalazłem się w sytuacji bez wyjścia. Staję obok biurka, a major McGeehan rozwija kilka map, zasłaniając mój plan Bidulph. Podchodzę bliżej i patrzę na nie, nie są tak dokładne jak moja, ale ja w końcu oszukiwałem.

– Widzicie, jesteśmy tutaj. Brytyjczycy są tu, a Kanadyjczycy tutaj. Kiedy pogoda się poprawi i głównodowodzący wyda stosowne rozkazy, ruszymy do ataku na te plaże. – Wskazuje palcem wybrzeże Francji.

Tak naprawdę nie znam wcale Francji, bardzo mało słyszałem o tym kraju, więc tylko potakuję. Major nie podnosi nawet głowy. Zaczyna palcem rysować szerokie łuki na mapie.

– To są przybliżone tereny działania poszczególnych grup, ale nie chcecie chyba znać zbyt wielu szczegółów. Nie chcemy, byście za dużo wiedzieli, na wypadek gdybyście wpadli w ręce Niemców.

Zastanawiam się, jak Niemcy mogliby mnie schwytać? Czy zamierzają dokonać inwazji na Anglię? Nikt nic o tym nie wspominał. Nie jesteśmy nawet okopani, chlapiemy się tylko w wodzie, śpimy w mokrych mundurach. Dopiero w tej chwili zdaję sobie sprawę z tego, że mogą mnie schwytać we Francji! Gotów już jestem wycofać się z tego wszystkiego.

– Zostaniecie przewiezieni na niewielkie lotnisko niedaleko stąd. W nocy, a konkretnie tuż przed świtem, polecicie samolotem na drugą stronę Kanału. – Wskazuje palcem teren określony jako ziemia niczyja, a później wyciąga jeszcze jakiś arkusz. Okazuje się, że jest to powiększenie fotografii lotniczej. – To zdjęcie zostało zrobione przez lotników z rozpoznania powietrznego. Widzicie tutaj duże drzewo, które zostało zwalone w czasie ostrzału artyleryjskiego.

Wskazuje na zamazaną plamę na zdjęciu. Przyglądam jej się, zastanawiając się, o co w tym wszystkim chodzi.

– Niewielki samolot zrzuci was w nocy z czarnym spadochronem w pobliżu tego drzewa. – Uśmiecha się, jak gdyby był iluzjonistą, który właśnie wyciągnął królika z cylindra. – Dostaniecie plecak z racjami żywnościowymi, które wystarczą wam na kilka dni. Na piersiach będziecie mieli przypięte radio. Postaramy się je zabezpieczyć przed uszkodzeniem w czasie lądowania. Dostaniecie oczywiście specjalny spadochron i mały pistolet.

Więc z małym pistoletem mam walczyć z całą armią niemiecką? Jak się z tego wyplątać? Wcale nie chcę zostać bohaterem, prawdę powiedziawszy, nie jestem wcale pewien, że to my powinniśmy wygrać tę wojnę. Chcę nauczyć się niemieckiego.

– Musicie być bardzo ostrożni w czasie lądowania. Starajcie się wylądować na plecach, obejmując radio ramionami. Radio jest najważniejsze.

Przyglądam mu się uważnie, by sprawdzić, czy nie żartuje, ale wygląda, że mówi serio.

– Kiedy wylądujecie i wszystko będzie w porządku, złożycie spadochron i ukryjecie się w dole po wyrwanym drzewie. Będziecie musieli zrobić to bardzo szybko, ponieważ istnieje możliwość, że ktoś zauważy wasze lądowanie.

Mówi to wszystko zupełnie serio. Nie mogę w to uwierzyć. Znaleźli niewłaściwego człowieka. To musi być jakaś potworna pomyłka.

– Rozłożycie spadochron w dziurze, nakryjecie się nim i uruchomicie radio. Postarajcie się nawiązać kontakt z nami albo ze sprzymierzeńcami. Sierżant Mullins poda wam częstotliwości, na których macie nasłuchiwać. – Przerywa i ponownie bacznie mi się przygląda. – Jakieś pytania?

– Jak i kiedy mam się stamtąd wydostać?

– Bojownicy francuskiego ruchu oporu, z którymi pozostajemy w kontakcie, będą was szukać. Wiedzą, kiedy nastąpi zrzut, i pomogą wam, jeśli inwazja zostanie z jakichś powodów opóźniona.

– Co mam tam robić? Nadal tego nie rozumiem.

– Mamy dla was kilka zadań. Przede wszystkim będziecie próbować nawiązać kontakt zarówno z Brytyjczykami, jak i Kanadyjczykami oraz Amerykanami, żeby upewnić się, że utrzymają ustalony kierunek ataku i nie zaczną strzelać do siebie w ciemnościach. W podobnych sytuacjach zawsze istnieje taka ewentualność. Następnie, tak szybko jak tylko będzie to możliwe, przekażecie radio Francuzom. Oni już wiedzą, co z nim zrobić. Zajmą się wami i pomogą wydostać się z tego wszystkiego. Nie macie się czym przejmować. Sierżant Mullins wyjaśni wam wszystko szczegółowo.

Major spogląda na zegarek. Wykonał już swoje zadanie. Pochyla się nad biurkiem i ściska mi dłoń. Ja mam w głowie zupełny mętlik.

– Powodzenia. Kierowca czeka już na was przed budynkiem, zabierze was z powrotem do jednostki, żebyście mogli spakować swoje rzeczy. Nie musicie zabierać hełmu, karabinu, bagnetu ani amunicji. Sierżant Mullins dostarczy wam wszystko, co będzie wam potrzebne. Pamiętajcie tylko:

ani słowem nie wolno wam wspomnieć o niczym, co tutaj usłyszeliście, a zwłaszcza o waszej misji. Liczymy na was.

Po tych słowach, jak gdyby na jakiś niewidoczny sygnał wchodzi kierowca. Do wozu wsiadamy tylko we dwóch. Siadam z przodu i próbuję raz jeszcze przemyśleć wszystko, co wydarzyło się w ciągu ostatniej godziny czy dwóch. Dochodzę do wniosku, że albo oszalałem, albo to wszystko to jeden wielki żart, z którego wszyscy będą się jutro śmiali.

Docieramy do obozu i samochód odjeżdża. Przez całą drogę nie zamieniliśmy nawet słowa. Jest już prawie noc, kieruję się do namiotu. Gettinger chce wiedzieć, co się stało.

– Stan, nawet gdybym ci opowiedział, nie uwierzyłbyś. Sam prawie nie mogę w to uwierzyć. Nie zadawaj mi żadnych pytań. W głowie mi się tak kręci, że zaraz zacznie mnie boleć.

Stan przewraca się na bok i jak zwykle natychmiast zasypia. Pakuję moje nieliczne rzeczy do płóciennego worka i odnoszę je do kuchni polowej. Zostawiam Stanowi moją połówkę namiotu, maszt i śledzie. Czuję się jak mąż, który wymyka się cichaczem z domu, ale, niestety, nie czeka na mnie żadna kochanka.

Samochód przyjeżdża po mnie zaraz po śniadaniu. Zmywam z mojej menażki resztki jajecznicy, wsadzam ją do plecaka, zarzucam płócienny worek na ramię i już jestem gotowy do drogi. Jedziemy mniej więcej przez godzinę, tym razem wzdłuż plaży. Prowadzi ten sam plutonowy. Rozmawiamy tyle co poprzedniego wieczoru, to znaczy wcale. Może facet ma coś z uszami, a armia trzyma go, by woził takich straceńców jak ja, którzy godzą się brać udział w samobójczych misjach.

Docieramy na niewielkie lotnisko. Plutonowy gestem poleca mi, bym został w samochodzie, a sam wchodzi do hangaru. Po kilku minutach wraca, każe mi zabrać rzeczy i ruszać za nim. Wysiadam z samochodu (wtedy po raz ostatni w czasie wojny zdarzyło mi się podróżować w podobnie luksusowych warunkach) i idę do hangaru. Sierżant, który przedstawia się jako Pat Mullins, służy na kontrakcie, w hierarchii wojskowej znajduje się więc pomiędzy oficerami zawodowymi i rezerwy, z formalnego punktu widzenia jest to czarna dziura. Zazwyczaj dysponują oni jakąś wyjątkową specjalnością. W wypadku Mullinsa chodzi zapewne o umiejętność pilotowania. W hangarze stoi niewielki samolocik pomalowany w szare plamy, a nie na oliwkowozielono, jak większość wojskowego sprzętu. Mullins prowadzi mnie do małego kantorka. Podsuwa mi krzesło; zwykły oficer nigdy nie zrobiłby nic podobnego.

– Posłuchaj, Wharton, to jest najbardziej świrnięta misja, o jakiej w życiu słyszałem. To nie ja ją wymyśliłem. Słyszałem różne plotki, ale o ile wiem, jest to pomysł jakiegoś faceta ze sztabu. Wymyślił to wszystko, ale nie życzy sobie, by ktokolwiek wiedział, kim jest. Jak ci się podoba ta wojskowa tajemniczość? Wysyłają nas z misją, o której żaden z nas tak naprawdę nic nie wie.

Moje serce leciutko podskoczyło.

– To znaczy, że poleci pan ze mną?

– No cóż, przewiozę cię na drugą stronę Kanału.

– Ale ja leciałem samolotem tylko raz w życiu, miałem wtedy sześć lat. Ojciec zapłacił pięć dolarów i razem przelecieliśmy się dwupłatowcem nad lotniskiem Wilsona w Filadelfii. Byłem śmiertelnie przerażony, że wypadnę, mój ojciec także. W samolocie nie było żadnych pasów czy czegoś podobnego.

– Pewnie był to stary barnstormer. Polecimy małą „Sally", ale nie będziemy lecieć wysoko. Odbyłeś pięć skoków w Fort Benning, zgadza się?

– Tak, ale to było coś zupełnie innego. Skakaliśmy za dnia i wszyscy byliśmy spięci razem. Właściwie nie skakałem, zostałem wyciągnięty na zewnątrz, a spadochron otworzył się sam.

– Tym razem będzie inaczej. Przelecimy nad Kanałem na wysokości trzech metrów nad wodą, żeby nas nie zauważono. Kiedy nadejdzie pora, nabiorę odpowiedniej wysokości, przechylę samolot, a ty po prostu z niego wypadniesz. Minutę później pociągniesz linkę wyzwalającą spadochronu.

– Co to jest linka wyzwalająca?

Mullins przygląda mi się tak, jak gdyby właśnie zobaczył mnie po raz pierwszy.

– Pokażę ci. Chodź ze mną, załatwimy wszystko za jednym razem.

Podchodzę z nim do samolotu. To górnopłat, nie ma dolnego skrzydła, podobne widywałem na lotnisku Wilsona, kiedy jako dziecko jeździłem tam na rowerze. Mullins idzie przodem, wszystko już przygotował, grube rękawice, kombinezon skoczka i spadochron. Wpatruję się w ten cały ekwipunek.

Mullins spogląda na mnie.

– Jesteś pewien, że chcesz to zrobić? Pamiętaj, że zawsze możesz się wycofać. Jestem pewien, że potrafię cię dostarczyć na miejsce, ale nie potrafię przewidzieć, co się stanie później.

Wtedy powinienem był się wycofać. Teraz wiem, że zostałem schwytany w podwójne kleszcze męskiej ambicji. Z jednej strony te przygotowania, oczekiwanie, wszystko zdawało się żyć własnym życiem. Z drugiej potraktowałem to jako ryzykowną przygodę, coś takiego jak zjazd na nartach czy szybka jazda samochodem. Zbyt łatwo pozwalałem się porwać podobnym wyzwaniom. Z początku byłem ciekawy, jak ubiorę się na ten patrol, jaki kostium przyjdzie mi włożyć. Pod wieloma względami byłem wciąż dzieckiem.

Mullins przygotował już specjalne zamocowanie dla ciężkiego radia. Sięga po strój leżący na siedzeniu samolotu i podaje mi go, patrząc, co zrobię. Biorę od niego rzeczy i wkładam. Pasują. Musieli zdobyć skądś moje wymiary. Z pomocą Mullinsa zapinam wszystkie suwaki i zatrzaski. Potem sierżant podaje mi z samolotu radio zawinięte w koc, jak sądzę, po to, by ochronić je przed kurzem. Zakłada mi radio na ramiona, zaciąga wywatowane ramiączka i zapina mi paski na plecach. Wyciąga skórzaną pilotkę, taką jakie nosili dawniej lotnicy, i zakłada mi ją na głowę, zapinając pasek pod brodą. Raz jeszcze sięga do wnętrza samolotu i wyciąga pas. Nóż i pistolet są przymocowane po jednej stronie, podwójna menażka (zrobiona z dwóch spiętych razem) po drugiej. Teraz robi krok w tył, by przyjrzeć mi się dokładnie.

– Wyglądasz jak nurek. Miejmy nadzieję, że nie będziesz musiał nurkować. Nie wymyśliłem tego wszystkiego sam, przysłali specjalnie dwóch oficerów i szeregowca, których nigdy wcześniej nie widziałem.

– Gorąco mi się robi. Mogę to zdjąć?

– Pewnie, że tak.

Zaczyna to wszystko rozpinać i rozłączać. Pomagam mu przy odpinaniu suwaków. Od razu lepiej się czuję, kiedy zdejmuję z siebie ten strój. Ogarnia mnie przerażenie, choć tak naprawdę trudno się bać czegoś, o czym się prawie nic nie wie.

– Co pan wie o tym patrolu? Wydaje mi się, że to kompletnie zwariowany pomysł.

– Daj spokój z tym panem, mów mi Pat. Siedzimy w tym razem po uszy.

– Ja jestem Will.

– To już wiem. Mam cię zawieźć na drugą stronę, przeskoczyć nad Kanałem około trzech mil stąd na północ, na wysokości trzech metrów, w zależności od stanu Kanału. Nie wolno mi włączać żadnych świateł, a to znaczy, że nie będzie to łatwe. Przed startem będziemy musieli posiedzieć w całkowitych ciemnościach, żeby oczy przyzwyczaiły się do mroku. Później wystartujemy. Technicy założyli mojej biednej „Sally" specjalne tłumiki, tak że prawie w ogóle jej nie słychać. Wykonałem próbny lot, straciła mnóstwo mocy, ale jest naprawdę cicha. Będę musiał napełnić zbiorniki do pełna, żeby dolecieć tam i z powrotem, bo teraz zużywa mnóstwo paliwa. – Milknie. Przyglądam się jego twarzy, poci się cały. Ja siedziałem w kombinezonie, a to on się poci. – Problemem będzie znalezienie odpowiedniego miejsca, gdzie mógłbym dostatecznie przyspieszyć, by podnieść maszynę na pięćset stóp, zawisnąć w powietrzu i wyrzucić ciebie. – Robi głęboki wdech i spuszcza głowę. – A co ty wiesz, Will?

– Nie wolno mi nikomu o tym mówić, ale skoro lecisz tam ze mną, to chyba wszystko w porządku. Mam wylądować, zwinąć spadochron, a później ukryć się w wyrwie po drzewie zwalonym przez ostrzał artyleryjski. Tam mam prowadzić nasłuch, zwłaszcza na trzech podanych częstotliwościach. Nie wolno mi nadawać, żeby Niemcy nie mogli mnie namierzyć. Później jacyś bojownicy francuskiego ruchu oporu mają przyjść po radio i wyciągnąć mnie z tego. Jak? Tego nie wiem. Wydaje mi się, że nie powinienem wiedzieć, jak to zrobią.

– Jezu Chryste! To naprawdę szaleństwo. Jesteś pewien, że nie chcesz się z tego wycofać?

– Teraz nie jestem już niczego pewien. Wciąż o tym myślę.

– W takim razie masz około ośmiu godzin na podjęcie decyzji. Dowiedziałem się, że wstrzymają ostrzał artyleryjski strefy twojego lądowania pomiędzy trzecią a czwartą rano. Myślę, że jeśli dotrzemy bezpiecznie na miejsce, wstrzymają go na dłużej. – Opiera dłonie na biodrach, a później zabiera się do pakowania mojego uniformu, radia i całej reszty z powrotem do samolotu. – No tak, mam pokazać ci jeszcze to. – Wyciąga pełny karton racji żywnościowych, opatulonych i zapakowanych w ten sam sposób jak radio. – Zrzucę je zaraz po twoim skoku. Powinny wylądować blisko ciebie.

– Naprawdę zamierzasz wyrzucić mnie z samolotu?

– Takie mam rozkazy. Zobacz, wyjąłem drzwiczki z twojej strony. W kombinezonie i z całym tym ekwipunkiem na pewno nie zdołasz wyskoczyć o własnych siłach.

Zastanawiam się, dlaczego nie miałbym się wycofać właśnie teraz. Jestem już dostatecznie przerażony. Po chwili jednak strach mija. Wchodzę w to.

O wpół do drugiej jestem już w kombinezonie i wsiadam do samolotu. Pat zajmuje miejsce za sterami. Jakiś żołnierz wynurza się z mroku hangaru, popycha śmigło i za trzecim razem silnik zapala. Pat trzyma dłonie na półkolistym sterze, między nogami ma jakiś drążek.

Kiedy byłem jeszcze mały, wysłałem kupony wycięte z różnych opakowań i dostałem od Sierotki Annie czy może Bobby'ego Bensona, już nie pamiętam, broszurkę, z której miałem się nauczyć, jak pilotować samolot. Ćwiczyłem w piwnicy, posługując się kijem od szczotki. Kiedyś mama zeszła na dół i zapytała, co robię. Odpowiedziałem, że bawię się moim drążkiem i uczę się latać. W pierwszej chwili wściekła się na mnie, ale kiedy zobaczyła broszurkę, zostawiła mnie w spokoju i poszła na górę.

Fajnie jest w końcu zobaczyć prawdziwy drążek sterowy. Pat trzyma na nim rękę, ale do sterowania używa pedałów i steru. Pędzimy po pasie startowym. Gdy odrywamy się od ziemi, samolot kołysze się nieco. Lecimy szybko, ziemia zdaje się uciekać pod nami. Uznaję, że będzie lepiej, jeśli nie będę patrzył w dół. Lecimy nad wodą. Widzę w ciemnościach białe grzywy fal. Samolot wyrównał lot, więc nie boję się już, że wypadnę, ale mimo to trzymam się czegoś, co przypomina tablicę rozdzielczą samochodu

Nie wiem, jak długo trwa lot, Pat koncentruje

się na tym, by utrzymać samolot w powietrzu. Czasami trafiamy w dziury powietrzne, woda pod nami jest coraz bardziej wzburzona, robi się też coraz zimniej. Teraz jestem zadowolony, że mam kombinezon i rękawice.

Kiedy na horyzoncie pojawia się wybrzeże francuskie, Pat zwraca się do mnie:

– Teraz podciągnę trochę, żebyśmy mogli przelecieć nad pozycjami niemieckiej obrony. Zobaczą nas za późno, by trafić, ale zawsze lepszy jest nadmiar ostrożności.

Widzę teraz coś, co wygląda jak domki z betonu. Pat twierdzi, że to bunkry. Później przelatujemy nad otwartym terenem. Nie widzę żadnych świateł. Pat ponownie odwraca się w moją stronę.

– Teraz zacznę się wznosić prawie pionowo, potem zawisnę na chwilę w powietrzu, wtedy przechylę samolot na bok, a ty wypadniesz. Nie zapomnij złapać za linkę wyzwalającą, którą pociągniesz w odpowiednim momencie. Postaraj się wylądować na nogach i padaj na plecy, obejmując rękoma radio.

Samolot ustawia się prawie pionowo i zwalnia. Przechyla się na bok i zanim zdążę się zorientować, co się dzieje, wiszę w powietrzu! Pociągam za linkę wyzwalającą i po chwili, która mnie wydaje się wiecznością, otwiera się spadochron. Kołyszę się na prawo i lewo, a ziemia zbliża się ku mnie z ogromną prędkością. Pochylam się ku przodowi. Po niecałych trzech minutach ląduję. Nogi uginają się pode mną, ale padam na plecy, tuląc do siebie radio. A potem przed oczami robi mi się kompletnie czarno.

Uderzenie pozbawiło mnie tchu i przez chwilę nie mogę złapać powietrza w płuca. Powoli przekręcam się na kolana. Czasza spadochronu łapie wiatr i pociąga mnie za sobą, przewraca na bok. Wciąż staram się złapać oddech, a jednocześnie ściągam ku sobie linki spadochronu. Muszę w to włożyć resztkę sił. Kiedy wreszcie udaje mi się ściągnąć spadochron, kładę się na nim, przyciskając go przy ziemi. Leżę tak, starając się głęboko odetchnąć. Słyszę tylko własne dyszenie. Widzę splątane korzenie powalonego drzewa rysujące się na tle nieba.

Podnoszę się na kolana i składam spadochron. Przyciskając go do piersi, rzucam się biegiem w stronę drzewa.

Dziura jest dostatecznie głęboka, zsuwam się więc do środka. Dopiero wtedy przypominam sobie o kartonach z racjami żywnościowymi. Nie jestem jeszcze głodny, ale gdyby ktoś je znalazł na polu, zaczęliby mnie pewnie szukać.

Zdejmuję spadochron, oprócz szelek ma jeszcze pasy, które przechodzą mi pomiędzy nogami. Kiedy odpinam pasy, radio zsuwa się na ziemię. Wciąż dyszę, jestem śmiertelnie przerażony, a ręce trzęsą mi się tak bardzo, że niełatwo przychodzi mi odpinanie wszystkich tych sprzączek. W końcu postanawiam nie zdejmować kombinezonu, chociaż jest mocno przepocony. Czuję chłód na twarzy.

Wysuwam się z dołu i rozglądam wokół w poszukiwaniu racji żywnościowych. Dostrzegam karton z lewej strony, podchodzę bliżej, trzymając broń w pogotowiu. Znajduję karton, łapię za linkę i ciągnę go za sobą do dziury. Jestem kompletnie wykończony.

Powinienem rozpakować radio i zacząć nasłuchiwać na podanych częstotliwościach, ale nie mam siły. Więc tak wygląda prawdziwa walka, nie usłyszałem ani jednego wystrzału, nie widziałem ani jednego żołnierza wrogiej armii, a jestem już tylko kłębkiem nerwów. Niezły ze mnie będzie żołnierz. Ciekawe, co zrobię, kiedy zacznie się strzelanina albo będę musiał się ukryć w dziurze przed ostrzałem artyleryjskim. Nie chcę nawet o tym myśleć.

Rozkładam spadochron w wykrocie, aby przykryć błoto. Spoglądam na zegarek, już prawie piąta rano. Mamy czerwiec, więc za chwilę wzejdzie słońce. Wyciągam się na złożonej czaszy spadochronu, wsuwam pod głowę worek i natychmiast zasypiam. Przez całą noc nie zmrużyłem oka z przerażenia, a zazwyczaj zasypiam już o dziesiątej, najpóźniej o wpół do jedenastej. Wojaczka to zdecydowanie nie jest zajęcie dla mnie.

Budzę się o drugiej po południu. Przespałem dziewięć godzin. Plecy i ramiona bolą mnie od szelek spadochronu, ale poza tym czuję się całkiem nieźle. Pada deszcz i woda sączy się do mojej jamy. Zbieram trochę kamieni i buduję małą tamę, by nie zalało mojego wykrotu.

Następnie rozpakowuję radio, mam nadzieję, że będzie działać. Nie wygląda na uszkodzone. Kiedy przekręcam gałkę, radio rozgrzewa się, zaczynam więc poszukiwać częstotliwości, których nauczyłem się wcześniej na pamięć. Bez skutku. Czuję pokusę, by nadać krótką wiadomość, żeby wiedzieli, że jestem na miejscu, ale się powstrzymuję. Rozciągam antenę na maksymalną długość, jednak nadal nic się nie dzieje. Jestem głodny.

Otwieram karton, ale w środku są tylko racje żywnościowe K. Rozpakowuję porcję obiadową, w pudełku jest ser, ciastka i papierosy, które mnie akurat są niepotrzebne. Żuję ser, próbując uspokoić żołądek. Zastanawiam się, jak długo będę tak siedział samotnie. Może inwazja już się rozpoczęła, tylko ja nic o tym nie wiem. A może postanowiono ją odwołać?

Jedzenie trochę mnie uspokaja. W jednej z moich menażek mieszam odrobinę rozpuszczalnej kawy z zimną wodą. Menażka wyposażona jest w oddzielny kubek, napełniam go do połowy wodą. Już teraz myślę o konieczności racjonowania wody. Proszek zamienia się w lepką substancję o konsystencji gumy. Powinno się go rozpuszczać we wrzątku. Kiedy jednak przez dłuższą chwilę mieszam go palcem, zaczyna się rozpuszczać. Wypijam płyn, ale jest gorszy od czystej wody, nie będę więcej robił eksperymentów kulinarnych.

Kończę jedzenie i ponownie zabieram się do przeszukiwania wskazanych częstotliwości, z nadzieją, że wszystko pójdzie jak należy. Nadal nic. Próbuję szukać dalej, ale słyszę tylko niemiecki. Już samo to napełnia mnie przerażeniem. Uspokajam się jednak, dochodzę do wniosku, że nie mogę nic zrobić. Wyglądam ze swojej dziury, ale w mżącym deszczu widzę tylko pole po ostrzale artyleryjskim. Ani śladu życia, choćby źdźbła trawy. Powinienem stanąć na warcie, ale ponieważ jestem jedynym wartownikiem, nie miałoby to sensu. Po prostu będę musiał na wszystko uważać. Postanawiam próbować uruchomić radio o każdej pełnej godzinie. Tak chyba postąpiłby prawdziwy radiooperator. Próbuję też nie spać za dnia. Wiem, że nocą nie wytrzymam bez snu, choć w tej wyboistej jamie pełnej dziur i kamieni nie usnę na długo. Za każdym razem, kiedy się budzę, rozglądam się dokoła i nasłuchuję przez radio. Zastanawiam się, gdzie są bojownicy francuskiego ruchu oporu i kiedy się tu zjawią. Zakładam, że wiedzą o tym powalonym drzewie. Może jednak liczę na zbyt wiele. Z kamieni zebranych z dna jamy buduję podwójny murek na krawędzi wykrotu i umacniam go ziemią. W ten sposób nie tylko mam lepszą osłonę przed deszczem i wiatrem, ale także więcej miejsca, a na dnie leży mniej kamieni. Zdjąłem pas z pistoletem i menażkami, powiesiłem je w suchym miejscu na wystających korzeniach drzewa. Mam nadzieję, że nie będę zmuszony posłużyć się bronią. Nie zrobię tego. Jeśli Niemcy mnie znajdą, po prostu się poddam. Nawet nie będę próbował się bronić.

Opracowuję plan działania. O każdej pełnej godzinie włączam radio i prowadzę nasłuch, nie mogę robić tego zbyt długo, ponieważ obawiam się, że wyczerpią się baterie. Następne racje żywnościowe zjadam o siódmej rano, w południe i o szóstej wieczorem. Nakręcam zegarek przed „kolacją".

Pogoda nieco się poprawia. Chmury są teraz mniej zwarte, co pewien czas wychyla się zza nich słońce. Pogoda we Francji w czerwcu jest stanowczo wyjątkowo paskudna. Nie straciłem jeszcze całkiem nadziei, ale jestem już tego bardzo bliski. Wiem, że próba przejścia przez niemiecką linię obrony byłaby samobójstwem. Nie miałbym nawet szansy oddać się do niewoli, zastrzeliliby mnie od razu.

A zatem nie mam wyboru. Nie powinienem był się zgodzić na udział w podobnym przedsięwzięciu. Mam tylko dwie szanse: albo Amerykanie, Brytyjczycy czy Kanadyjczycy przebiją się do mnie, albo pomogą mi tajemniczy członkowie francuskiego ruchu oporu, którzy przyjdą po radio. Nie pozostaje mi nic innego jak czekać. Mam dosyć jedzenia na cztery dni, później będę musiał zastanowić się co dalej. Przyglądam się sobie uważnie. Kombinezon mam uwalany błotem, wyglądam teraz jak Buck Rogers w filmie, w którym poleciał w dwudziestym piątym wieku na inną planetę.

Dni mijają i nic się nie dzieje. Słyszę strzały artyleryjskie, ale tu, gdzie jestem, nie trafiają żadne pociski. Zdążyli już wcześniej rozwalić to miejsce w drobiazgi. Rozglądam się, nasłuchuję, jem, drzemię i nakręcam zegarek.

Trwa to trzy dni. Wyglądam nagle na zewnątrz i widzę przed sobą kilku żołnierzy biegnących przez pole z karabinami gotowymi do strzału. Nie czekam ani chwili, zrzucam z siebie kombinezon, żeby wyglądać na amerykańskiego żołnierza. Ściągam też pilotkę, którą miałem cały czas na głowie, żeby nie marzły mi uszy. Po hełmach poznaję, że to nie Niemcy, ale nie są to też Amerykanie. Zaczynam krzyczeć po angielsku. Zostawiam wszystko, włącznie z pistoletem, radiem i żywnością. Wychodzę z rękami podniesionymi do góry i krzyczę: „JESTEM AMERYKANINEM! NIE STRZELAJCIE! JESTEM AMERYKANINEM!" Zatrzymują się jak wryci. Wstaję i ruszam wolno w ich stronę. Padają w błoto, celując we mnie z karabinów.

– Nie ruszaj się!

Staję w miejscu.

Jeden z nich rusza w moim kierunku. Nadal trzymam ręce na głowie. Zaczynamy rozmawiać, mówi po angielsku z brytyjskim akcentem, ale okazuje się, że to Kanadyjczycy. Pokazuję mu moje blaszki identyfikacyjne. Teraz mi wierzy. Prowadzę go do mojej jamy.

– Jezu! Wy jankesi to macie pomysły. Nikt nam nie powiedział, że tu będziesz.

– Mieli mnie stąd zabrać Francuzi, mieli przyjść po radio. Czy możecie jakoś odstawić mnie do mojego oddziału w Anglii? Kończy mi się jedzenie.

Udaje nam się w końcu wymyślić rozwiązanie. Radzą mi wziąć pistolet. Spadochron, kombinezon i pozostała żywność zostaje w wykrocie. Kanadyjczycy zadają mi mnóstwo pytań, oni też poruszają się na ślepo. Oczywiście, nic nie potrafię im powiedzieć, poza tym, że nie widziałem nikogo aż do chwili, gdy oni się pojawili.

Dowódca przydziela mi jednego z żołnierzy, by odstawił mnie na plażę. Okazuje się, że inwazja zaczęła się trzy dni temu. Mówi, że była to cholerna łaźnia, myśleli, że nie uda im się zdobyć przyczółka, ale teraz sytuacja wygląda trochę lepiej i ląduje coraz więcej oddziałów. Radzi mi uważać na miny i niemieckich snajperów, którzy wciąż mogą być ukryci w bunkrach.

Jednak na brzeg dostajemy się bez żadnych kłopotów. Nikt jeszcze do mnie nie strzelał, a przynajmniej nic o tym nie wiem. Pociski ciężkiej artylerii przelatują nad naszymi głowami, hucząc jak pociągi towarowe, ale nic nie spada w zasięgu wzroku. Plaża wygląda jak wojskowe wysypisko śmieci. Wszędzie, również w wodzie, porozrzucany jest sprzęt. Na piasku leżą ciała zabitych żołnierzy. Lekarze biegają z miejsca na miejsce, próbując przenosić rannych na jednostki desantowe, które wciąż dowożą nowych żołnierzy. Trudno mi w to wszystko uwierzyć. Jakiś porucznik, namówiony przez mojego przewodnika i przekonany widokiem moich blaszek identyfikacyjnych, pozwala mi wsiąść do jednej z łodzi. Teraz po raz pierwszy trafiam pod ostrzał. Niemcy próbują powstrzymać przypływające i odpływające jednostki desantowe. Dwa pociski artyleryjskie eksplodują tuż przy burtach naszej łodzi. Wszyscy ci, którzy nie są ranni, zasłaniają rannych własnymi ciałami, a marynarze robią wszystko, co w ich mocy, by jak najszybciej nas stąd wydostać.

W końcu docieramy na duży statek. Najpierw wchodzą na jego pokład wszyscy ranni, dopiero potem ja. Zajmuje się mną jakiś oficer. Każe mi stanąć pod ścianą, a sam gdzieś znika. Po pięciu minutach zostajemy wprowadzeni do wygodnej kabiny, w której jakiś angielski oficer siedzi za biurkiem zasłanym mapami. Wyjaśniam mu wszystko, on zaś siedzi nieruchomo, dopóki nie dochodzę do skoku z samolotu, wtedy zdejmuje czapkę i widzę, że jest łysy.

– Niezwykłe! A zatem twierdzicie, że przez ostatnie trzy dni znajdowaliście się za linią frontu?

– Cztery dni, proszę pana, licząc dzień, kiedy tam wylądowałem.

– Muszę to sprawdzić, to wprost niewiarygodne. – Sięga po słuchawkę jednego ze stojących przed nim telefonów. Okręca krzesło tak, że siedzi teraz tyłem do mnie. Po dłuższej chwili odwraca się ponownie i odkłada słuchawkę na widełki. – Zostaniecie przewiezieni na amerykański okręt, szeregowy. Niejaki pułkownik Munch chce rozmawiać z wami tak szybko jak to tylko możliwe.

– Tak jest, sir.

Padają niezbędne rozkazy, przygotowują dla mnie transport i wkrótce znajduję się na pokładzie amerykańskiego okrętu, gdzie wprowadzają mnie do innego, równie elegancko umeblowanego gabinetu. W środku siedzi pułkownik, od którego wszystko się zaczęło. Przygląda mi się z uśmiechem.

– A zatem wciąż żyjecie.

– Tak jest, panie pułkowniku.

– Co się stało? Dlaczego nie nawiązaliście z nami kontaktu? Nasłuchiwaliśmy waszego sygnału, ale nic nie udało się złapać. Mieliśmy mały kłopot, bo nikt nie wpadł na to, by zapisać numer waszego sprzętu.

– Tak jest, panie pułkowniku. Nasłuchiwałem na podanych częstotliwościach, ale łapałem tylko niemieckie stacje. Polecono mi, bym nie próbował nadawać, ponieważ wtedy Niemcy mogliby ustalić moje położenie.

– Mój Boże, co za bajzel.

Nie wiem, czy mówi o mnie, czy o całej operacji. Nie wydaje mi się, bym coś spieprzył, tylko że wszystko to nie miało żadnego sensu.

– Dobrze, szeregowy, biorąc pod uwagę okoliczności, odwaliliście kawał dobrej roboty. Czy przekazaliście radio Francuzom?

– Nie, panie pułkowniku. Nikt się nie zjawił.

– Gdzie jest teraz w takim razie?

– Zostawiłem je tam, mając nadzieję, że w końcu się zjawią i je znajdą. Musieli przecież wiedzieć o drzewie, pod którym się ukrywałem.

Pułkownik wbija wzrok w biurko, potem podnosi oczy na mnie.

– Macie zegarek?

Odpinam zegarek i podaję go pułkownikowi, a on sprawdza godzinę.

– No cóż, twoja jednostka nie została jeszcze przerzucona przez Kanał. Może minąć jeszcze kilka tygodni, zanim zdobędziemy odpowiedni przyczółek. Zaraz cię odeślę.

Zachowuje się tak, jakby oczekiwał, że mu podziękuję. Nie robię jednak nic podobnego. Przypomina mi teraz lekarza, który zajmował się moim żylakiem i ostrogą piętową. Sprawia wrażenie, że robi mi przysługę.

Wyciąga ku mnie dłoń i wymieniamy uściski. Do kajuty wchodzi jakiś marynarz.

– Dopilnujcie, żeby ten żołnierz trafił do swojej jednostki.

Podaję mu numer mojego pułku, salutuję i wychodzę z marynarzem. O mojej Srebrnej Gwieździe ani słowa.

W ciągu trzech dni docieram z powrotem do mojego pułku w Anglii. Gettinger nadal trzyma dla mnie miejsce w namiocie. Odbieram mój worek. Gettinger chce wiedzieć, co się ze mną działo przez ostatni tydzień. Dochodzę do wniosku, że mogę mu powiedzieć, skoro moja misja została zakończona. Nie potrafi uwierzyć w to, co mówię, ja zresztą też nie.

W końcu zostajemy przewiezieni na drugi brzeg. Wzniesiono tymczasowe nabrzeża, więc nie musimy taplać się w wodzie. Jest już po przełomie pod Saint Malo, więc całą walkę przesiedzieliśmy w krzakach. Nikt jednak nie skarży się z tego powodu. Rozbijamy obóz w jabłoniowym sadzie, skąd wkrótce wyruszymy w dalszą drogę.

Wszyscy jesteśmy poruszeni tym, że na dzwonnicy miejscowego kościółka w miejscu, w którym powinien znajdować się krzyż, jest kurek. Jesteśmy przekonani, że to sprawka bezbożnych faszystów. Miejscowi mieszkańcy częstują nas butelkami czegoś, co wygląda jak cydr. Bardziej łebskie chłopaki z Tennessee twierdzą, że to *applejack*, wódka z jabłek. Piją ją prosto z butelek i padają jak podcięci. Słabiej uświadomieni myślą w pierwszej chwili, że to sok jabłkowy i ciągną go do chwili, gdy również zaleją się w trupa.

Nieźle już podpici postanawiamy ściągnąć faszystowskiego koguta z wieży kościelnej i zastąpić go krzyżem. Jeden z sierżantów przekonuje nas, że w cywilu pracował jako dekarz i potrafi wejść na iglicę. Pokazuje nam małe drzwiczki widoczne wśród dachówek, tuż pod kurkiem. Wszyscy przyłączamy się do realizacji tego chrześcijańskiego pomysłu. Ktoś znajduje klucz do zamka w drzwiczkach prowadzących na wieżę. Sierżant Billy Dan Gray bierze wystrugany przez jednego z żołnierzy drewniany krzyż i zataczając się nieco na schodach, rusza na górę. Wszyscy wychodzimy na zewnątrz i patrzymy, co się stanie. Nikt nie byłby szczególnie zasmucony, gdyby spadł. Zatruwał życie całemu oddziałowi.

Patrzymy, jak wysuwa się z małych drzwiczek na wieży. Wokół kościoła zebrało się również kilku mieszkańców miasteczka. Jest wśród nich ksiądz, który biega tam i z powrotem, bablając coś po francusku. Wyraźnie próbuje zrozumieć, co się dzieje. Billy Dan wyłazi na iglicę, obejmuje ją nogami i chwyta kurka i różę wiatrów. Odkręca je i zrzuca na dół. Spadający kurek o mało nie ucina głowy Smithersonowi, który gapi się w górę. Billy Dan wyciąga zza pazuchy drewniany krzyż i wciska go w uchwyt pozostały po kurku i róży wiatrów. Udaje mu się nawet ustawić go wcale prosto. Wszyscy nagradzają go burzliwymi oklaskami, z wyjątkiem księdza, który podniósł kurka i uciekł z nim gdzieś. Domyślamy się, że na pewno sprzyjał Niemcom. Tak kończy się nasza krótka, bezmyślna przygoda z francuskimi kościołami. Później dowiedziałem się, że na dzwonnicach francuskich kościołów zazwyczaj umieszcza się właśnie kurki. Po dwóch dniach zostajemy wszyscy zapakowani na dwutonowe ciężarówki i ruszamy w podróż przez Francję w ślad za czołgami generała Pattona. Kierujemy się na Paryż.

10

Zabawa w chowanego

Podstawowym zadaniem plutonu zwiadowczo-rozpoznawczego są patrole. Zazwyczaj chodzi o przeprowadzenie rekonesansu, zdobycie informacji, a nie rozpoznanie przed walką czy atak. Wyjątkowo tylko otrzymujemy zadanie złapania jeńca w celu wyciągnięcia od niego informacji – to najgorsza robota i wszyscy się jej boimy. W porównaniu z oddziałami liniowymi mamy na ogół dość lekki żywot, choć ciągle jesteśmy w polu.

Jednak kiedy już dostajemy zadanie, sytuacja jest często poważna, a nawet niebezpieczna, ponieważ z reguły wysyłają nas na patrol wówczas, gdy góra uważa, że zwyczajny patrol zwiadowczo-rozpoznawczy plutonu, kompanii czy nawet batalionu nie wystarczy.

Nasz oddział posuwa się szybko przez znaczną część Francji, nie napotykając specjalnego oporu. Omijamy Paryż, Francuzi chcą zająć go sami. Przy wsparciu czołgów z łatwością docieramy do granicy francusko-niemieckiej, a później do doliny Saary.

Po raz pierwszy znajdujemy się na terytorium Niemiec. Pułk posuwał się naprzód przez trzy tygodnie, teraz jednak utknęliśmy w błocie, zablokowani przez co najmniej dwie niemieckie dywizje pancerne. Dowództwo pułku zajęło kwatery w miasteczku Ohmsdorf. Jest wczesna jesień. Tuż przed północą mój nowy sąsiad z namiotu, Wilkins, i ja zostajemy wezwani do namiotu pułkownika. Mój dawny sąsiad, Gettinger, dostał awans na zastępcę dowódcy drugiej drużyny. Jesteśmy zwiadowcami pierwszej drużyny pierwszego plutonu. Nie można by chyba znaleźć gorszych zwiadowców.

Śpimy jak zabici, kiedy porucznik Anderson, dowódca plutonu zwiadowczo-rozpoznawczego, wsadza głowę do naszego namiotu i każe iść do namiotu S2, sam pułkownik chce nas widzieć. Czujemy się tak, jak gdyby Pan Bóg osobiście zstąpił z nieba, by nas wezwać.

Namiot pułkownika przypomina namiot władcy pustyni. Jest tu wszystko z wyjątkiem perskich dywanów i stojących w kącie nargili. Prycza z puchowym śpiworem, stół polowy z rozłożoną mapą, stolik i kilka składanych krzesełek. Pułkownik ma na sobie długie wojskowe kalesony, głowę owinął przydziałowym ręcznikiem, nogi trzyma w wiaderku z gorącą wodą. Kiedy wchodzimy do namiotu, wyciera nos i podnosi wzrok. Przygląda się swojej przydziałowej chusteczce do nosa. Później spogląda na kartkę papieru leżącą na stoliku obok dużej mapy. Domyślam się, że sprawdza nasze nazwiska.

– Spocznij.

Stajemy na spocznij, wciąż jestem rozespany. Zauważyłem, że zostawiłem w namiocie manierkę, a to znaczy, że mam niekompletne umundurowanie. Podłożyłem sobie manierkę pod głowę zamiast poduszki i zapomniałem o niej, kiedy w pośpiechu wychodziliśmy z namiotu. Nie możemy uskarżać się na brak wody, przez cały dzień padał deszcz.

– Szeregowi Wilkins i Wharton, potrzebne nam rozpoznanie poza pozycje kompanii B.

Pułkownik pochyla się nad leżącą na stole mapą. Wydaje mi się okropnie stary, ale ma najwyżej pięćdziesiąt lat. Poznaczone plamami wątrobowymi dłonie o grubych palcach i czystych paznokciach wskazują jakiś punkt na mapie. Przesuwa paznokciem po celuloidzie.

– O godzinie piątej trzydzieści artyleria korpusu uderzy w nich całą siłą, jaką dysponujemy. Do ataku pójdziemy o szóstej. To ma być rozpoznanie walką, chcemy po prostu dowiedzieć się, co tam mamy. – Raz jeszcze spogląda w naszą stronę, a właściwie patrzy przez nas na wylot. Wyciera nos i ponownie przygląda się chusteczce. – Nie chcemy jednak iść na ślepo. Niemcy mogą tam mieć bunkry, czołgi i kto wie, co jeszcze. Raporty, które posiadamy, są sprzeczne.

Próbuję nie patrzeć na Wilkinsa. Jak niby mamy się tego wszystkiego dowiedzieć w taki sposób, by oni nie dowiedzieli się o nas?

– Tak jest, panie pułkowniku.

Wilkins dołącza po chwili, z nieco mniejszym entuzjazmem. Może wciąż jeszcze śpię, a to wszystko to tylko zły sen. Rozglądam się po namiocie. Są tu także major Love z S2 i major Collins, adiutant pułkownika. Porucznik Anderson stanął w wejściu, może próbuje ukryć się pod klapą namiotu. To rzeczywiście koszmar, tylko że ja już nie śpię. Wszyscy nas obserwują – jak na dwóch zwyczajnych szeregowców mamy wcale niezłą widownię.

Kiedy widzę wokół siebie tylu oficerów, ogarnia

mnie strach, onieśmielenie, niepewność. Udaję, że słucham Love'a, ale myślami odpływam daleko, daleko stąd. Rozpatruję wszystkie możliwości – od niesubordynacji do dezercji. Wydaje mi się, że dosyć się już narobiłem na tej wojnie. A może udałoby mi się załatwić sobie szybko żółte papiery, gdybym wrzucił kilka nabojów do wiaderka, w którym pułkownik moczy nogi. Nie robię jednak nic, słucham tylko i kiwam głową, a później salutuję i wychodzę. Porucznik Anderson wychodzi wraz z nami. Żaden z nas nic nie mówi, nie ma nic do powiedzenia.

Chyłkiem opuszczamy namiot, Anderson prowadzi nas do jeepa, którego kierowca rozgrzewa już silnik. Jeep należy do pierwszego batalionu, kierowca wyraźnie się śpieszy, jego też prawdopodobnie wyciągnięto z ciepłego pierdziworka. Prawie na nas nie patrzy, kiedy ładujemy się do wozu. Anderson czeka. Przy pasie ma rewolwer. Pochyla się ku nam, w świetle księżyca widzę, że mruga do nas porozumiewawczo.

– Nie róbcie niczego, czego ja bym nie zrobił, chłopaki.

Cofa się o krok i jeep rusza. Na kołach ma przeciwbłotne łańcuchy, żadnych reflektorów. Droga w zasadzie nie istnieje, więc żeby coś widzieć, kierowca opuszcza przednią szybę na maskę. Wilkins pochyla się w moją stronę.

– Coś mi się wydaje, że to mrugnięcie znaczyło, że mamy nic nie robić, mam rację? – szepcze.

A jednak *już* coś robimy, jedziemy jeepem w środku nocy w niewłaściwym kierunku.

W trzecim batalionie czeka na nas żołnierz z kompanii B. Koniec jazdy. Ruszamy za nim pieszo. Ostrzega, byśmy uważali na snajperów i moździerze. Snajperzy i moździerze o północy? Idziemy za nim do dowódcy kompanii. Im dalej się posuwamy, tym bardziej brudni, zaniedbani i nerwowi są żołnierze, których mijamy. Dwa razy żądają podania hasła.

Dowódca kompanii B już na nas czeka. Odbywamy szybką odprawę nad następną mapą: ta zostaje wyciągnięta z kieszeni mundurowej kurtki, żadnego celuloidu. Kapitan jest blady i zdenerwowany. Wskazuje podejrzane punkty. Małymi krzyżykami oznaczone są miejsca, w których ponieśli straty. Wypytuje o wszystko, co wiemy. Mówimy o ataku artylerii o 5.30 i natarciu o 6.00. On z kolei mówi, że w ostrzale weźmie udział artyleria nie tylko dywizji, ale i całego korpusu. Spogląda na zegarek, jest już prawie wpół do drugiej. Ani Wilkins, ani ja nie mamy zegarka. Kapitan wyciąga drugi, przydziałowy, z kieszeni kurtki i podaje go Wilkinsowi. Ten sprawdza godzinę i nakręca zegarek. Znowu wracają wspomnienia.

– Musicie się zwinąć najpóźniej do zero-pięć-zero-zero. Dłużej nie możemy czekać.

Przygląda się nam uważnie. Robi mi się wstyd – jesteśmy tacy czyści, że w porównaniu ze wszystkimi wokół wyglądamy na świeżo przysłane posiłki. Kwatera mieści się w piwnicy zburzonego domu. Wszędzie leżą porozrzucane racje żywnościowe, koce, pierdziworki i broń.

– Trzymajcie się z dala od tego lasu. Jestem prawie pewien, że mają tam przynajmniej jeden posterunek. Gdybyście zobaczyli czołgi, transportery opancerzone czy jakiś oddział większy od drużyny, od razu bierzcie nogi za pas.

Koc wiszący w drzwiach prowadzących do

piwnicy odsuwa się i staje w nich uwalany błotem żołnierz. Kapitan odwraca się.

– Morris, zabierz tych chłopaków do Brennera i Miodisera. Tylko uważaj, żebyś nie ściągnął nam czegoś na głowę. To chłopaki z pułkowego zwiadu, idą na patrol.

Uśmiecha się krzywo, a Morris spogląda na nas tak, jak gdybyśmy byli przysłani prosto z niemieckiej kwatery głównej. Kapitan odwraca się i kładzie na pryczy, nie zdejmując nawet zabłoconych butów.

Wychodzimy w ciemność. Niewiele widać, bo księżyc skrył się za chmurami. Idziemy bez słowa jakieś sto jardów. Morris pędzi przed siebie, trzymając karabin gotowy do strzału. Księżyc wysuwa się zza chmur. Morris pada na ziemię za stertą gruzu, która kiedyś była chyba kościołem. Ponad rumowiskiem wciąż wznosi się rama okienna, a w niej coś, co może być resztkami witraża. Machnięciem dłoni przywołuje nas do siebie.

– Możemy być obserwowani – szepcze – więc ani mru-mru. Podprowadzę was kawałek i pokażę, w którą stronę macie iść dalej.

W jego głosie wyczuwam strach.

Zaczynamy czołgać się przez gruzowisko, wykorzystując do osłony każdy skrawek cienia. Czołgamy się naprawdę szybko, z karabinami na plecach, posuwamy się przed siebie na łokciach i kolanach. Teraz również my jesteśmy brudni.

Morris próbuje nam wyjaśnić, jak mamy trafić na posterunek, jest pewien, że nie możemy zabłądzić. Wskazuje na niewielkie wgłębienie w terenie. Podczołgujemy się tam, nie wiedząc nawet, że znaleźliśmy się dokładnie na linii frontu. Przez ostatnie siedemdziesiąt jardów posuwamy się na brzuchach, wreszcie docieramy na miejsce. Nasz przewodnik poczołgał się już z powrotem. Na posterunkach znajdujemy dwóch szeregowców, niewiarygodnie brudnych, prawie niewidocznych pod warstwą błota. Na wszelki wypadek podajemy hasło, a oni odpowiadają odzewem.

Mówią, że boją się wrócić do jednostki. Są głodni, ale nie na tyle, by przejść przez teren, przez który my właśnie się przeczołgaliśmy. Zdrapują i żują wosk z papierowych pudełek po racjach żywnościowych. Daje to niejakie pojęcie o tragikomizmie całej tej sytuacji, o tym jak przerażeni i głodni są ci ludzie.

My sami też jesteśmy już nieźle wystraszeni, kiedy opowiadają o spiczastej skale i pniaku na czwartej godzinie – chodzi o kierunek, nie o czas. Widzieli, tak przynajmniej twierdzą, jakieś cienie, które pojawiały się i znikały. Mógł to być tylko blask księżyca, który wyjrzał właśnie zza chmur, ale nic nie mówię. Siedzą tak od wielu godzin, czekając, aż coś się poruszy. Noc jest księżycowa, więc światło odbija się we wszystkim, zwłaszcza w kałużach.

Czołgając się na ten posterunek, ubrudziliśmy się jak świnie. Pomiędzy czołganiem się a pełzaniem jest zasadnicza różnica: czołga się jak niemowlak, a pełza jak wąż, ale niezależnie od tego, co się wybierze, błoto wciska się w usta i w każdy inny otwór. Kiedy się tak posuwałem na brzuchu, pogubiłem guziki. Wilkins pyta w końcu:

– W którym kierunku powinniśmy teraz iść?

Na chwilę zapada cisza. Chłopcy spoglądają po sobie nerwowo.

– Macie chyba nierówno pod sufitem! Nigdzie nie pójdziecie, siedźcie tu z nami, aż ktoś nas zluzuje. Wtedy powiemy, że wróciliście z patrolu.

Patrzą na nas, jakbyśmy w naszych stosunkowo czystych mundurach spadli z księżyca. Mamy czyste twarze, wyglądamy jak ludzie, którzy nie mieli nic wspólnego z wojną. W porównaniu z nimi jesteśmy nieskazitelnie czyści – ci dwaj są naprawdę brudni, po prostu cuchnie od nich jak od prawdziwych włóczęgów. Jeden kładzie się na plecach, wyciąga papierosa i ssie go, nie zapalając.

– Coś wam powiem, nikt by mnie nie zmusił, żebym tam poszedł. Właściwie po co mielibyście to robić?

Nie wychylając nawet głów ze swej dziury, mówią:

– Spójrzcie w tamtą stronę, widzicie? Na pierwszej godzinie. Widzicie? Myślimy, że ktoś kryje się za tą skałą, chyba ma pistolet maszynowy.

Wcale nie żartują, są po prostu kompletnie przerażeni.

Ostatecznie Wilkins i ja postanawiamy wyjść na chwilę, żeby zobaczyć, czy czegoś tam nie ma. Wysuwamy się ostrożnie. Ci dwaj w okopie mówią, że będą nas osłaniać. Uważają nas chyba za zwyczajnych wariatów. Kiedy docieramy do pierwszego miejsca, gdzie możemy schronić się w cieniu, dostajemy dreszczy. Wilkins wyciąga się na plecach.

– To wariactwo, Will, zaraz nas zabiją. Ci faceci w wielkim, wygodnym namiocie wcale się nami nie przejmują, chcieli tylko wysłać nas na front i zobaczyć, jak daleko uda nam się dotrzeć, zanim ktoś nas zastrzeli. Spróbujmy tam podejść. – Lufą karabinu wskazuje pień zwalonego drzewa. – Schowamy się i rozejrzymy po okolicy.

Znowu przekręcamy się na brzuchy i zaczynamy pełznąć przez błoto, aż zupełnie bez tchu docieramy na miejsce. Kładziemy się i wpatrujemy w niebo. Układamy się tak, że głowa Wilkinsa jest przy moich stopach, a moja przy jego – w ten sposób widzimy wszystko dookoła. Rozmawiamy przyciszonymi głosami. Dochodzimy do wniosku, że to, co widzimy, to ślady gąsienic czołgów. W każdym razie w błocie są jakieś ślady. Nie jesteśmy tak do końca pewni, ale wydaje nam się, że słyszymy odgłosy silników. Ale być może się mylimy. Jesteśmy już śmiertelnie wystraszeni.

Postanawiamy trzymać się tej wersji, przede wszystkim dlatego, że ci dwaj w okopie powiedzieli, że też coś usłyszeli – albo czołgi, albo wielkie ciężarówki. Naszym zdaniem były to zdecydowanie czołgi. Choć biorąc pod uwagę, jak byli przerażeni, bardzo prawdopodobne jest, że usłyszeli jakiegoś szczura przemykającego między kałużami.

Decydujemy się więc na czołgi. Wmawiamy sobie, że koło następnej sterty gruzów widzimy moździerz z trzyosobową obsadą. Teraz straszymy już siebie nawzajem. Po następnym kwadransie podobnie twórczego rekonesansu czołgamy się z powrotem do okopu. Chłopcy na posterunku słuchają, czy nie rozlegnie się pif-paf, które oznaczałoby nasz koniec.

Są naprawdę zaskoczeni, że wróciliśmy. Siedzimy z nimi jeszcze piętnaście minut, opowiadając o tym, co „zobaczyliśmy", tylko po to, by nasza wyprawa trwała dłużej i aby dotrzymać im towarzystwa.

Wracamy do faceta, który nas tutaj przyprowadził, później następny żołnierz odstawia nas z powrotem tą samą drogą, którą tu dotarliśmy. Wskakujemy do jeepa i zaczynamy się naprawdę czuć jak dwóch bohaterów powracających z niebezpiecznej misji. Mamy wieści o nieprzyjacielu, trafiamy więc pod eskortą bezpośrednio do namiotu pułkownika, o trzeciej nad ranem, czy która tam może być godzina. Wilkins zapomniał oddać zegarek dowódcy plutonu, ale szkiełko jest pokryte błotem i nie można odczytać godziny.

Pułkownik siedzi owinięty kocem i trzyma nogi w wiaderku z gorącą wodą. Wydaje się cholernie zaskoczony naszym widokiem. Czuje się pewnie tak, jak gdyby do jego namiotu wmaszerowały dwa trupy. Relacjonujemy naszą starannie przećwiczoną opowieść i pokazujemy na mapie, gdzie i co widzieliśmy. Naprawdę nieźle nam to wychodzi.

Później pułkownik stwierdza, że dzielne z nas chłopaki i że wystąpi dla nas o Brązowe Gwiazdy, czego oczywiście nigdy nie zrobi.

W trakcie ataku, który nastąpił rano, okazało się, że na przestrzeni trzech mil nie było zupełnie nic. Oddziały posuwają się naprzód i nic się nie dzieje, żadnej akcji nieprzyjaciela, szkopy się wycofały. Pułkownik dostaje za ten atak Srebrną Gwiazdę, nie zamierza więc dzielić się chwałą, dając nam po Brązowej. Oczywiście, zdążyliśmy już przekonać samych siebie, że naprawdę na nie zasłużyliśmy. Tak to już jest w wojsku, nie skarżymy się jednak specjalnie. Cieszymy się, że w ogóle żyjemy.

Prawdę powiedziawszy, Wilkins i ja wpadamy w przerażenie, że góra dowie się o wszystkim.

Co, na Boga, robią z ludźmi, którzy przynoszą fałszywe informacje? Wiesza się ich jako zdrajców, torturuje, może rozstrzeliwuje?

Dziwne jest, że po tym natarciu, które trwa cztery dni, ponownie zagrzebujemy się w błocie. Według mnie żołnierze są coraz bardziej przestraszeni i zniechęceni, widzą coś za każdym wzgórzem, pniem czy drzewem. Teraz mają czas na to, by pomyśleć. To samo pewnie dotyczy Niemców.

Zatrzymujemy się prawie na tydzień, wkrótce mają nas wysłać w Ardeny na R&R, odpoczynek i regenerację sił. Właśnie wtedy przeżywamy zdarzenia, o których opowiedziałem w książce *W księżycową jasną noc.*

Plutonowi zwiadowczo-rozpoznawczemu przydarzyło się kilka paskudnych przygód w okolicach Metzu, kiedy odbywaliśmy kolejne patrole, w tym jeden straszny, w którym straciliśmy Thompkinsa i kilku ludzi z drugiej drużyny. Nie wróciło z niego czterech kolegów.

Wycofujemy się na tyły, a nasze miejsce zajmuje dwudziesta ósma dywizja. Prawdę powiedziawszy, wycofujemy się na pozycje wyjściowe: ktoś musiał narysować linijką śliczną prostą i postanowił pozbyć się wszelkich nierówności. Tracimy wszystko, co udało nam się zdobyć. Cały nasz strach, cały wysiłek – wszystko to poszło na marne.

11

Polka z kaloszami

Zbliża się dzień moich urodzin. Deszcz pada teraz bez przerwy i nie ma sposobu, by się wysuszyć. Wielkim problemem stają się odparzone stopy. Oczywiście, problemem dla tych nielicznych, którym zależy na zwycięstwie. Dla większości odparzenie i odesłanie do szpitala na tyłach wydaje się czymś w rodzaju trafienia do nieba. Chłopaki sypiają w wilgotnych skarpetkach i butach w nadziei, że i im się uda. Odparzone palce stają się czarne, jakby dotknięte gangreną. Wydaje mi się, że to, co się z nimi dzieje, jest naprawdę trochę podobne do gangreny. Ciągle dowiadujemy się, że w szpitalu konieczna była amputacja palców, a nawet całej stopy. Większość z nas uważa, że utrata kilku palców u nóg byłaby niewielką ceną za możliwość poleżenia w ciepłym, wygodnym łóżku szpitalnym, odległym o wiele mil od całego tego szaleństwa i, co ważniejsze, niewielką ceną za szansę na przeżycie.

Oficerowie odkrywają jednak, że niektórzy żołnierze celowo próbują odparzyć sobie nogi, i musimy wysłuchiwać wykładów i oglądać pokazy – mamy nie spać w butach, codziennie zmieniać skarpetki, a zdjęte wykręcać i kłaść sobie na piersiach na noc, żeby wyschły. Nic to jednak nie pomaga, bo przez cały dzień stoimy w błocie, a prawie co drugą noc musimy spędzać na warcie w okopie pełnym wody.

Sprowadzają zatem dla nas staromodne kalosze zapinane na metalowe klamerki. Problem polega na tym, że klamerki brzęczą. W podobnych jako dziecko chodziłem w zimie do szkoły. Kalosze robią tyle hałasu, ile tamburyn, więc chłopaki zaczynają je wyrzucać. Wolą odparzyć sobie stopy niż dostać kulkę. Potrafię to chyba zrozumieć.

Następnym posunięciem dowództwa jest obwieszczenie, że każdy, kto odparzy sobie stopy, zostanie postawiony przed sądem polowym i karnie usunięty z armii. W ten sposób znaleźliśmy się pomiędzy młotem a kowadłem, ale żołnierze nadal celowo odparzają sobie stopy.

Osobiście mam szczególny stosunek do stóp. Ostroga piętowa wystarcza mi w zupełności. Nie potrafię nawet pogodzić się z myślą, że mógłbym stracić palce, a nawet całą stopę. Próbuję zatem wymyślić jakiś sposób zabezpieczenia się przed odparzeniem i wynajduję kompletnie zwariowane rozwiązanie. Rozglądam się uważnie po okolicy i znajduję parę kaloszy, które ktoś wyrzucił. Są o wiele większe od tych, które noszę, mniej więcej numer czternaście. Są wielkie jak kajaki, ale właśnie takich mi teraz potrzeba. Próbuję osuszyć nieco swoje buty, przede wszystkim wycierając je własnym przemoczonym kocem, później rozglądam się za kimś, kto nosiłby taki rozmiar butów jak ja, osiem i pół, i kto byłby skłonny zamienić cztery pary prawie suchych skarpet na moje buty. Udaje mi się przekonać jednego faceta z kompanii L, że może trzymać jedną parę butów w pierdziworku, a drugą nosić.

Dokonujemy zamiany, mam teraz osiem par stosunkowo suchych skarpet. Wkładam je wszystkie naraz, a później wsuwam powiększone w ten sposób stopy w wielkie kalosze. Kiedy kładę się spać, wsadzam kalosze do pierdziworka, skarpety za pazuchę albo między nogi, dla mnie zostaje niewiele miejsca, ale poza tym rozwiązanie okazuje się świetne. Hałasuję trochę za dużo, ale ciepło mi przynajmniej w stopy. Co noc przed snem zdejmuję kalosze i wszystkie pary skarpet. Te, które są najbliżej stopy, są na ogół zupełnie suche. Działa jak złoto.

To znaczy, działa jak złoto, dopóki sierżant Ethridge nie zwraca uwagi na moje wielkie stopy. W końcu wyjaśniam, co robię. Sierżant każe mi odzyskać buty, jeśli nie chcę, by doniósł kapitanowi, że próbuję celowo odparzyć sobie nogi. Co za palant. Trzy dni później zabieram buty zabitemu żołnierzowi z kompanii liniowej. Leży w błocie z odłamkiem szrapnela w karku. Buty mają numer dwanaście, niewiele mniejsze niż moje kalosze, noszę je więc, zakładając wszystkie pary skarpet. W ten sposób udaje mi się uniknąć i Ethridge'a, i odparzenia. Jestem z siebie bardzo dumny, dopóki sytuacja nie zaczyna się pogarszać i brak kilku palców u nóg przestaje mi się wydawać najgorszym z możliwych rozwiązań. Służba w piechocie potrafi zmienić podejście do życia.

Błoto zagraża nie tylko naszym stopom, ciągle musimy wyciągać z niego jeepy. Na wszystkie koła zakładamy specjalne łańcuchy, ale tutejsze błoto jest jak gęsty klej, ciemnobrązowe i głębokie. Okazuje się tak głębokie, że przy próbie przejechania przez pole jeep z przyczepą utyka w połowie drogi. Posyłamy drugi wóz, by go wyciągnął, ale ten też grzęźnie w błocku. W końcu udaje nam się w ten sposób utopić sześć jeepów i dwie przyczepy. W kilku wypadkach już po ugrzęźnięciu zakładamy łańcuchy na koła – świetne zajęcie dla plutonu zwiadu i rozpoznania. Pchamy, ciągniemy, przemy, ale koła wciąż buksują w mazi. Wszystko się kończy, kiedy w błocie toną osie i dyferencjał. Mój żylak też nie miewa się najlepiej. Pan doktor powinien być tutaj ze mną i pomóc trochę w pchaniu jeepów przez błoto.

W końcu musimy skontaktować się z batalionem czołgów stacjonującym w naszym sektorze i poprosić, by wyciągnęli nasze auta. Jest to bardziej poniżające niż męczące. Następnego ranka budzę się tak bardzo obolały, że ledwie mogę się ruszyć. Nie zabrzmi to może wiarygodnie, ale wszyscy jesteśmy zadowoleni, kiedy nadchodzą prawdziwe mrozy i błoto zamarza. Teraz przynajmniej możemy chodzić, a jeepy radzą sobie jakoś na pozamarzanych porytych koleinami drogach.

12

Mike Hennessy

Niedługo później luzujemy dywizję dwudziestą ósmą, tak zwaną „jankeską". Właśnie skończyli atakować wzgórze stanowiące część dawnej linii Maginota, obecnie zwróconej frontem w stronę Francji. Większość żołnierzy z naszej jednostki nie ma specjalnej ochoty szarżować na żadne wzgórza.

Kiedy chodziłem do szkoły podstawowej, uczył się tam młody Irlandczyk nazwiskiem Mike Hennessy. Kilka razy nie udało mu się zdać do następnej klasy, w ogóle mierny był z niego uczeń. Mierny to bardzo łagodne słowo na określenie neandertalczyka. Mike miał błękitne oczy, krzaczaste czarne brwi i sterczące włosy, nie był specjalnie wysoki, mniej więcej takiego samego wzrostu jak większość uczniów szóstej klasy, choć powinien był być już w ósmej. Miałem wtedy dziesięć lat, ponieważ dwa razy przeskoczyłem klasę, a on czternaście i musiał się już golić. Wydawało mi się, że największą radością jego życia jest pozbawianie mego życia wszelkiej radości. Hennessy był prawdziwym brutalem. Musiałem spędzać całe przerwy, biegając po szkole i próbując się przed nim ukryć. Raz udało mu się złapać mnie w łazience, podniósł mnie, obrócił głową w dół, wsadził moją głowę do muszli klozetowej i spuścił wodę. Od tej pory zawsze niepewnie czułem się w wodzie.

Przez następne dziesięć lat nie myślałem zbyt wiele o Mike'u Hennessym. Nie wiem nawet, czy to on odszedł ze szkoły, czy ja się wyprowadziłem, nic mnie to nie obchodziło, ważne było tylko, że zniknął z mojego życia. Może wyrzucili go ze szkoły, a może uciekł. Możliwe też, że wsadzili go do poprawczaka, ciągle coś kradł, wypuszczał powietrze z opon samochodów, wybijał szyby i robił najróżniejsze podobne psikusy. Zdecydowanie należało go poprawić.

Próbowałem skontaktować się z Hennessym, zanim wkroczyliśmy do Niemiec. Później, jak już wspominałem, dwudziesta ósma przeszła naprawdę ciężkie dni, próbując odebrać Niemcom francuskie umocnienia należące do linii Maginota w samym Metzu i w okolicach tego miasta. Piechota dwudziestej ósmej dywizji szturmowała wzgórze przed nami, próbując zająć Fort Jeanne d'Arc. Niemcy przebudowali forty w taki sposób, że broniły teraz przed atakiem ze strony Francji, udoskonalili też znacznie przestarzałe francuskie fortyfikacje. Jeden z pułków dwudziestej ósmej dywizji próbował wziąć wzgórze, które w rzeczywistości jest podziemnym fortem. Przebijali się przez pola minowe i zdobywali otaczające fort bunkry. To musiała być straszna walka. Pułk został wybity do nogi. Przypominało to szarżę kawalerii z jakiejś dawnej, głupiej wojny.

Kiedy stacjonowałem jeszcze w Fort Jackson w Karolinie Południowej, przez przypadek natknąłem się na Mike'a Hennessy'ego w rozmównicy telefonicznej. Bez trudu go rozpoznałem.

Nigdy nie zapomnę tej irlandzkiej twarzy o nisko osadzonych brwiach i szerokich ustach.

Wymieniamy uścisk dłoni, no proszę, obydwaj doroślismy i teraz jest ode mnie niższy o pięć, może dziesięć centymetrów, jest też ode mnie szczuplejszy. Wydaje mi się to niemożliwe. Chociaż nie ma już mowy o tym, co łączyło nas w szkole podstawowej, nie ma także mowy o przyjaźni. Jako dorosły człowiek jest równie wulgarny i głupi jak wtedy, gdy był dzieckiem. Gdy się spotykamy, jest wyraźnie podchmielony, musiał widać wypić sporo słabego, wojskowego piwa. Stanowczo nie jest to człowiek, do którego mógłbym się zbliżyć. Pijemy jednak razem po piwie, przez wzgląd na dawne czasy. Domyślam się, że nie mógł wylądować w poprawczaku, bo wtedy nie powołano by go do wojska, ale nadal robi wrażenie osoby, którą naprawdę trzeba poprawić.

Kiedy dostajemy rozkaz zluzowania dwudziestej ósmej na stromym wzgórzu pod Metzem, wiemy wszyscy, co się stało i jesteśmy przerażeni. Na szczęście w końcu ktoś pomyślał, skontaktował się z Francuzami i dowiedział się, że fort, który mieliśmy szturmować, Fort Drion, ma zaledwie dwa źródła zaopatrzenia w wodę. Woda z tych źródeł napełnia wielkie zbiorniki wybudowane wewnątrz wzgórza. Te forty są jak podziemne miasteczka, wyposażono je nawet w podziemną kolej służącą do transportowania dział czy wyposażenia. W zboczach wzgórza umieszczono betonowe bunkry. Jest się czego bać.

Wszyscy żołnierze plutonu zwiadowczo-rozpoznawczego są przekonani, że poślą nas na to wzgórze, byśmy rozejrzeli się po okolicy, dowiedzieli się, jak rozmieszczone są bunkry. Nie śpimy teraz zbyt wiele.

Francuzi informują nas jednak, gdzie położone są źródła, i udaje nam się je zatruć. Ot tak, po prostu. Taka właśnie jest wojna. Nie wiem jak, ale Niemcy dowiadują się o tym, może dlatego, że ludzie zaczynają nagle padać jak muchy.

Gdy tylko przybywamy na miejsce, idę się dowiedzieć, czy Mike Hennessy przeżył. Wypytuję chłopaków, którzy zbierają zabitych, w końcu udaje mi się trafić na kogoś, kto znał Mike'a i jest pewien, że ten oberwał. Ściągnęli ze wzgórza większość trupów, wydaje mi się, że w tym celu wynegocjowali jakieś zawieszenie broni.

Zgadza się, znajduję Mike'a Hennessy'ego rozciągniętego na ziemi, tylko głowa wystaje z worka. Czuję się potwornie, ktoś, kto w dzieciństwie był dla mnie symbolem niesprawiedliwości, przemocy i lęku, kto pozbawiał moje życie radości, leży przede mną martwy, zalany krwią, pokryty błotem z odłamkami szrapnela wbitymi w ciało. Jego skóra ma teraz odcień sinawy, oderwane ramię leży przyciśnięte do korpusu. Worek, w który wsadzono ciało, okazuje się w rzeczywistości pierdziworkiem. Na czarnych, kręconych włosach Mike'a nadal tkwi wełniana czapeczka. Między zęby wciśnięto mu jedną z blaszek identyfikacyjnych. Jestem wstrząśnięty tym widokiem. Mam zaledwie dziewiętnaście lat, a Mike Hennessy już nie żyje. Trudno przejść obojętnie obok czegoś takiego.

Jeśli chodzi o historie, których nie opowiada się dzieciom, ta jest po prostu doskonałym przykładem.

13

Sierżant York

Połowa naszego oddziału siedzi w okopach na wzgórzu wokół fortu, czekając, czy Niemcy się nie ruszą. Kiedy próbują się wymknąć, strzelamy do nich albo bierzemy do niewoli. W tym czasie druga połowa śpi w drewnianych koszarach, wzniesionych dla francuskich żołnierzy, którzy obsadzali fort przed wojną. Koszary wyposażone są w prycze. W porównaniu z warunkami, w których żyliśmy do tej pory, jest to niewiarygodnie bezpieczne i czyste miejsce. Cały wolny czas spędzamy, próbując zdrapać i zmyć błoto z naszego ekwipunku. Jesteśmy zrelaksowani i spokojni – gramy w karty, w kości, czytamy i śpimy. To o wiele lepsze od R&R, odpoczynku i regeneracji sił, a zwłaszcza tego, co przeżyliśmy później w Ardenach.

Stoję na warcie. Warty trwają teraz zaledwie dwie godziny. Mamy sześć godzin dla siebie i dwie godziny warty, bardzo lekka służba.

Opieram się o ścianę. Teren koszar otoczony jest ogrodzeniem. Mam zatrzymywać każdego, kto próbowałby wejść do środka. Dostałem rozkaz, aby nie opierać się o płot. Nie wiem, dlaczego. Zgodnie z instrukcjami wartownik ma stawać na baczność i prezentować broń, kiedy mija go oficer, i nie wpuszczać nikogo, kto nie ma specjalnej przepustki. Czuję się tak, jakbym bawił się w wojsko, ale w środku cały się trzęsę na wspomnienie Mike'a.

Stoję tak, przysypiając, kiedy ktoś klepie mnie po ramieniu. Odwracam się, stoi przede mną niemiecki żołnierz, a w wyciągniętej ręce trzyma zakrętkę od manierki! Cofam się, jednocześnie zrywając z ramienia karabin. Wygląda na to, że Niemiec jest bezbronny i pokazuje, podnosząc kubek do ust, że chce tylko dostać wody. Jest blady i ma spierzchnięte, suche usta. Najwidoczniej zdołał jakoś wydostać się z fortu.

Wycelowuję w niego karabin. Podnosi ręce do góry, nie wypuszczając z dłoni kubka. Biorę go do niewoli i prowadzę do koszar. Jak się okazuje, przyprowadził ze sobą trzech kumpli, razem wymknęli się z fortu, ponieważ umierali z pragnienia. Dołączają do nas i odprowadzam ich na posterunek żandarmerii. Następnego dnia dochodzi do wielkiej kapitulacji. Wydaje mi się, że to Niemcy, których wziąłem do niewoli, doprowadzili do przełomu. Ale może tylko oszukuję samego siebie.

Jak łatwo mogłem zginąć tak jak Mike Hennessy. Ten Niemiec mógł się okazać innym człowiekiem, mógł mnie zaatakować. Miałem przy pasie manierkę pełną wody. Kiedy idziemy na posterunek żandarmerii, pozwalam Niemcom się napić. Napełniam wodą zakrętki ich manierek, a oni chłepcą wodę jak psy. Nadal nie potrafię uwierzyć w swoje szczęście. Ten Niemiec mógł mnie po prostu zabić i zabrać moją manierkę, ale nie zrobił tego. Prawdopodobnie zasnąłem oparty o ścianę. Domyślam się, że uznał to za znakomity sposób oddania się do niewoli. Wracam na swój posterunek i podczas nocnej warty „biorę do niewoli" jeszcze trzydziestu jeńców. Taki sukces odnoszę tylko ja i sierżant York – oto następny z moich wojennych wyczynów.

14

Sierżant Ethridge

Im dłużej trwa ta wojna, tym bardziej się zmieniam. Prawdopodobnie przyczyną jest po prostu moje wrodzone tchórzostwo. Bez specjalnych wysiłków czy talentu odkrywam, że boję się o wiele bardziej niż inni. Do tego nie potrafię ukrywać strachu. Zdecydowanie nie uchodzę za najodważniejszego żołnierza w oddziale, nawet mimo to, że wziąłem do niewoli trzydziestu jeńców. Nie jest ze mną tak źle, by tak naprawdę rozważano możliwość wyrzucenia mnie z plutonu zwiadowczo-rozpoznawczego, co oznaczałoby odesłanie do oddziałów liniowych, ale zdecydowanie nie jest dobrze. Odkrywam teraz różnicę pomiędzy strachem a tchórzostwem – o tym pierwszym nie wie nikt poza tobą.

Staję się prawdziwym specjalistą w czymś, co nazywamy odfajkowywaniem patroli, to jest fingowaniem ich tak, jak to zrobiliśmy z Wilkinsem. Uciekamy się do tego, kiedy sytuacja robi się niebezpieczna. Wtedy zaczyna pracować wyobraźnia i wymyślamy własną zastępczą wojnę. Świetnie wychodzi nam również ukrywanie się, schodzenie wszystkim z oczu, kiedy szykuje się niebezpieczny patrol.

Dobrze pamiętam, zresztą bez specjalnej dumy, pewien dzień, kiedy wcześniej niż inni dowiedziałem się o tym, że szykuje się patrol, jeden z tych, których baliśmy się najbardziej, w trakcie którego naszym zadaniem było wzięcie języka.

Plutonem zwiadowczo-rozpoznawczym dowodzi facet nazwiskiem Ezra Ethridge. Wiem, że będzie szukać właśnie mnie. O mało nie tracę przytomności, leżąc pod jeepem, tak bardzo staram się nie oddychać. Ethridge to następny pomyleniec z Południa, najprawdziwszy pod słońcem podoficer. Wszyscy nienawidzimy go serdecznie. Myślę, że każdy człowiek sądzi, iż właśnie jego uczucia są silniejsze niż wszystkich innych ludzi, ale ta nienawiść jest naprawdę wyjątkowo intensywna. Czasami wydaje mi się, że moje miganie się szczególnie irytuje Ethridge'a, bardziej niż kiedy robią to inni koledzy z oddziału. Zawsze właśnie mnie się czepia.

W każdym razie tej nocy kroi się szczególnie nieprzyjemny patrol. Kiedy tylko szykuje się coś naprawdę paskudnego, wiem, że wypadnie właśnie na mnie.

Dekuję się pod jeepem. Dzielę teraz namiot z dobrym kumplem nazwiskiem Vance Watson, oczywiście jeżeli uda nam się w ogóle rozbić namiot. Najczęściej nadal śpimy w okopach. Dobrze nam ze sobą, ponieważ połączyła nas swego rodzaju rywalizacja – porównujemy, który z nas ma większego pietra. Po prostu *wiemy*, że właśnie my zostaliśmy wyznaczeni na ten patrol. Słyszeliśmy już o nim i jesteśmy w stu procentach pewni, że nie mamy najmniejszej ochoty brać w nim udziału.

W pobliżu kwatery głównej znaleźliśmy starą stodołę pełną siana. To nasza tajemnica, ostatnia kryjówka, schronienie. Włazimy na pięterko i obsypujemy się sianem, tak że nikt nie może nas zobaczyć. Kiedy sytuacja zaczyna być naprawdę nieciekawa, stajemy się niewidzialni. Teraz, kiedy nikt nie patrzy, po cichutku wysuwam się spod jeepa i rzucam się biegiem do kryjówki. Vance już tu jest.

Dziesięć minut później jesteśmy zamaskowani. Zbliża się dziesiąta wieczorem. Naciągamy wełniane czapeczki głęboko na uszy, żeby nie słyszeć dzikich ryków Ethridge'a, i podkładamy pod głowy hełmy. Wiemy przy tym, że jeśli nawet uda nam się wymigać od tego patrolu, a zostaniemy znalezieni, dostaniemy jakieś inne śmierdzące zadanie, jak pomoc oficerom przy zakwaterowaniu i dźwiganie wszystkich ich bagaży.

Ethridge krąży po całym obozie, drąc się na całe gardło. Muszę przyznać, że w takiej sytuacji mogą człowieka ogarnąć wyrzuty sumienia, ale nas jakoś to nie rusza. Próbujemy zakopać się jeszcze głębiej, myślimy tylko o tym, że nigdy nas nie znajdzie, nigdy nie przyjdzie mu do głowy, by wspiąć się na górę po chwiejącej się drabinie, za tłusty jest na to, załamałaby się pewnie pod nim.

Nie udaje mu się nas znaleźć i wysyła zamiast nas dwóch facetów z drugiej drużyny, Jima Freise'a i Ala Toby'ego. Patrol jest trudny, dokładnie taki, jak się tego spodziewaliśmy, a może nawet gorszy. Dzięki Bogu, żaden z nich nie zostaje zabity. Jim dostaje prosto w udo, ale kula mija kość udową. Al Toby niesie go na nasze pozycje, dźwiga go tak jakieś trzysta jardów. Na szczęście Al ma metr osiemdziesiąt pięć wzrostu i jest silny jak tur, a Jim Freise zaledwie metr siedemdziesiąt i jest bardzo chudy. Jim Freise z wyglądu przypomina trochę Mike'a Hennessy'ego, ma podobne ciemne kręcone włosy i błękitne oczy. Kiedy już obaj znajdują się w bezpiecznym miejscu, Al wali się na ziemię. Jedni sanitariusze odnoszą na noszach nieprzytomnego Jima, a drudzy zajmują się Alem.

Oczywiście, i Vance, i ja czujemy się jak prawdziwe sukinsyny. Prawdę powiedziawszy, w końcu dochodzę nawet do wniosku, że lepiej byłoby, gdybym poszedł na ten patrol, wtedy wojna już by się dla mnie skończyła. Jim dostał postrzał za milion dolarów.

Ethridge robi nam awanturę, że kto inny poszedł za nas i prawie zginął, takie tam bzdury. Gdzie, u diabła, byliśmy? Nie słyszeliśmy, jak nas wołał? Tylko że sierżant Ezra Ethridge sam nigdy nie poszedł na patrol. On o tym wiedział i my też.

15

Krzyżowy ogień

Pomimo wszystkich tych idiotycznych patroli i dlatego, że trzech naszych podoficerów zginęło od pocisków dział kaliber osiemdziesiąt osiem milimetrów, zostaję dowódcą pierwszej drużyny plutonu zwiadowczo-rozpoznawczego. Sam nie potrafię w to uwierzyć, pokora czyni cuda. Dochodzi do tego na krótko przed wydarzeniami, które opisałem w książce *W księżycową jasną noc*.

Życie toczy się jednak dalej. Wydaje się, że wojna już nigdy się nie skończy. Wkraczamy coraz dalej w głąb Niemiec. Przez kilka dni posuwamy się naprzód, nie napotykając właściwie żadnego oporu, bez walki, kiedy zatrzymuje nas artyleria. Niestety, okazuje się, że musimy przełamać linię Zygfryda, główną linię niemieckiej obrony, odpowiednik francuskiej linii Maginota, z tą jednak różnicą, że o wiele bardziej inteligentnie zaprojektowaną. Niemcy ustawili swoje bunkry w trójkąty, tak że każdy ochrania dwa pozostałe. Metodą prób i błędów, a raczej rannych i zabitych, udaje nam się opracować na nie sposób. Nie atakujemy żadnego z przednich bunkrów, ale ten ustawiony z tyłu. Kiedy odetnie się ten trzeci bunkier, system wzajemnej obrony zostaje złamany i można zaatakować od tyłu dwa pozostałe. Wtedy, jeśli Niemcy się nie poddają, wrzucamy granaty przez otwory strzelnicze.

Czasami potrzeba aż dwadzieścia granatów, żeby zdobyć taki bunkier. W końcu jednak szkopy wystawiają białą flagę i poddają się. Po pewnym czasie Niemcy pojmują, że kiedy trzeci bunkier zostanie zdobyty, *alles ist kaput* i lepiej się poddać, bo w przeciwnym wypadku zostaną rozszarpani przez odłamki granatów.

Nie należy to na pewno do zadań zwiadu czy rozpoznania, ale sytuacja naprawdę się spaprała, by użyć wojskowej terminologii. Robimy teraz właściwie wszystko, od patroli po eskortowanie pułkowej orkiestry.

Zbliża się koniec stycznia, wszędzie leży śnieg. Jak zwykle nie mamy pojęcia, jaka jest sytuacja. Pewnego popołudnia, jako dowódca drużyny, zostaję wezwany przez sierżanta Ezrę Ethridge'a i nowego S2 – dowódcę pułkowego zwiadu – majora Woodsa, który poprzednio był szefem kolumny transportowej. Krążą plotki, że Love, poprzedni S2, oszalał z przemęczenia. Potrafię to zrozumieć. Jak się okazuje, czeka na mnie jeszcze porucznik Anderson, dowódca naszego plutonu, który nigdy nie chodzi na patrole i nie ma zielonego pojęcia o prawdziwej walce.

Major Woods, którego doświadczenie bojowe ogranicza się do utrzymywania ciężarówek i jeepów na chodzie, pilnowania, by były nasmarowane, poziom wody i oleju w normie, opony zmieniane itd. wymyślił naprawdę idiotyczny patrol. Nie ma pojęcia o zwiadzie i rozpoznaniu, a to, co wymyślił, jest wyjątkowo kretyńskie. Równie dobrze ja mógłbym spróbować przebudować silnik jednego z jego jeepów.

Obozujemy w ruinach miasteczka Olsheim. Wokół tylko puste pola pokryte grubą warstwą śniegu, z rzadka jedynie widać drzewo czy krzak. Major rozkłada na chybotliwym stoliku jakieś stare zdjęcia lotnicze, które wskazują, że mamy przed sobą nasyp kolejowy albo bunkier, ale wszystko ukryte pod śniegiem. Patrzę na zdjęcia i nie potrafię utrzymać języka za zębami. Powinienem był się wtedy opanować.

– To mi wygląda na spore kłopoty, panie majorze. Robota dla prawdziwego patrolu, a nie zwiadu i rozpoznania.

Anderson zgadza się ze mną. On również uważa, że nie jest to zadanie dla zwiadu, powinniśmy wysłać duży patrol, dwudziestu do trzydziestu żołnierzy z jednostki liniowej ze wsparciem artyleryjskim.

– Nie może pan wysłać patrolu zwiadowczego z podobną misją, panie majorze – mówię – to samobójstwo. Zadaniem rozpoznania jest jedynie przekonanie się, jak wygląda sytuacja, i powrót. Jeśli ktokolwiek zbliży się do tego miejsca dostatecznie, by zobaczyć, co się tam dzieje, na pewno już nie wróci.

Jestem najmniej ważną osobą na tej odprawie, nikt nie zwraca uwagi na to, co mówię. Ostatecznie, po mojej krótkiej przemowie, w której usiłowałem wyjaśnić, że zadanie jest niewykonalne, porucznik Anderson ustępuje. Wtedy jednak włącza się na całego sierżant Ethridge.

– To właśnie jest zadanie dla plutonu zwiadowczo-rozpoznawczego. Nie możecie siedzieć tutaj w nieskończoność na tłustych zadkach i udawać, jacy to jesteście inteligentni, czytać książki, grać w brydża, szachy czy warcaby. Masz załatwić ten patrol, Wharton, i weźmiesz ze sobą całą drugą drużynę. Ani słowa więcej. Macie iść na patrol i sprawdzić, co to jest. Takie macie zadanie.

Major Woods, który zaczynał sam wycofywać się z pomysłu, zmienia raptownie zdanie i jest pełen bojowego entuzjazmu.

Co mogę począć? Oczywiście, wiem, co powinienem był zrobić. Powinienem był po prostu odmówić dowodzenia tym patrolem. Powinienem był po prostu powiedzieć: „Do diabła z tym, nie mogę poprowadzić tego patrolu, ryzykowałbym niepotrzebnie życie moich żołnierzy. To kretyński, naprawdę idiotyczny pomysł i nikt nie będzie miał z niego pożytku". Nie zrobiłem tego jednak.

Po odprawie próbuję pogadać z Ethridge'em, on jednak oskarża mnie o tchórzostwo. Ma rację, ale akurat on nie ma prawa mi tego wymawiać. Nigdy nie poszedł na żaden patrol. Wracam do moich chłopaków i mówię im, co się stało. To łebscy faceci i od razu domyślają się, co jest grane. Są na mnie trochę wkurzeni, że ich nie obroniłem, ale skłonni są wziąć udział w tym patrolu.

Kiedy jesteśmy sami, mówię do nich cicho:

– Słuchajcie, włożymy kombinezony śniegowe i pomalujemy karabiny na biało. Wyjdziemy tak daleko, by nie było nas widać nawet z posterunków. Tam położymy się na śniegu. Zmarzniemy trochę, jeśli poleżymy tak koło godziny, ale pozostaniemy przy życiu. Później wrócimy i powiemy, że niczego nie widzieliśmy. – Przerywam. Nikt się nie odzywa, mówię więc dalej: – Jeśli jutro jakiś oddział będzie dostatecznie głupi, by się tam pakować, i wlezie w kłopoty, będzie nam wszystkim przykro, ale na pewno nie jest to robota dla zwiadu i rozpoznania.

Decyzja zostaje podjęta bez specjalnych dyskusji, nikt nie jest zadowolony, ale wszyscy się zgadzają. Przygotowujemy się najlepiej, jak możemy. Już sama konieczność wyjścia przed front budzi niepokój. Musimy odejść na sporą odległość, przez cały czas w odkrytym terenie, aż znajdziemy się poza zasięgiem wzroku wartowników i zwykłych żołnierzy. To jedyny sposób. Musimy jakoś stać się niewidzialni, ale mimo wszystko będziemy aż nazbyt widoczni. Księżyc nie jest wprawdzie w pełni, ale świeci dostatecznie mocno, by rzucać cień. Nawet pomalowani na biało będziemy rzucać czarne cienie, żebyśmy nawet nie wiem jak się starali. Może nam się wydawać, że jesteśmy niewidzialni, tak jednak nie będzie.

Wyruszamy więc około północy, zakładając, że żołnierze na niemieckich posterunkach będą wtedy najsłabiej uważać, oczywiście, jeśli w ogóle ktoś tam jest i jeśli grożą nam jakieś kłopoty. Prawdziwy problem polega na tym, że nie mamy pojęcia, czego możemy się spodziewać, idziemy kompletnie na ślepo.

Dokładnie na linii horyzontu ponad długą, wznoszącą się lekko śnieżną połacią rośnie las sosnowy. Widok drzew budzi we mnie niepokój, wszystko może się tam kryć, nawet czołgi. Tuż przed linią drzew wznoszą się trzy zasypane śniegiem wzgórki. Nawet jeśli podejdziemy blisko, trudno będzie ustalić, co to właściwie jest, tam wszystko może się wydarzyć.

Idziemy w standardowej formacji patrolowej,

w pięciometrowych odstępach z dwoma zwiadowcami na przodzie. Idę trzeci w szeregu, tuż za zwiadowcami. Pozostali idą za mną, kolumnę zamyka zastępca dowódcy drużyny, Russ. Przedzieramy się przez śnieg, tak głęboki, że wsypuje nam się do butów. Co chwila odwracam się za siebie, próbuję oszacować odległość. Jak dobrze widać nas teraz z naszych pozycji? Śnieg skrzy się oślepiająco w blasku księżyca, choć tuż nad ziemią unosi się lekka mgiełka. Trudno ocenić, jak daleko zaszliśmy i kiedy przestaniemy być widoczni z posterunków. W tej chwili prawdziwy wróg, przynajmniej dla mnie, jest za naszymi plecami. Suniemy dalej przez śnieg, w końcu wydaję rozkaz „padnij". Obracam się na klęczkach. Mam ze sobą lornetkę, której nie powinienem mieć, lornetki są wyłącznie dla oficerów. Zabrałem ją zabitemu niemieckiemu oficerowi.

Oglądam się za siebie, widzę wyraźnie żołnierzy w okopach. Nie oddaliliśmy się jeszcze dostatecznie. Patrzę przed siebie, ale nic nie widzę, wciąż nie potrafię ocenić, co kryje się pod tymi wzgórkami. Szepczę do moich kolegów:

– Myślę, że musimy przejść jeszcze ze sto jardów, wtedy będziemy już wiedzieć na pewno, że nam się udało. Nawet za dnia nie zobaczą naszych śladów, kiedy wszyscy ruszą do ataku.

Atak nastąpi o świcie, więc zadepczą nasze ślady, i nikt ich nawet nie zauważy.

Domyślam się, że istnieją poważne psychologiczne powody, dla których atak następuje właśnie o świcie. Mówi się, że w ten sposób teoretycznie zaskakuje się wroga w najmniej oczekiwanym momencie. Ale jednocześnie wysyła się swoich żołnierzy w najmniej dla nich sprzyjającej porze. Dlaczego ludzie, a zwłaszcza ludzie w wojsku, wybierają zawsze najgorsze wyjście z możliwych? Nie twierdzę, że wojna powinna być zabawą, ale czy musi być taka trudna?

Wstajemy więc znowu, otrzepując się ze śniegu. Ruszamy naprzód, widzimy, że jeden z naszych „wzgórków" wznosi się teraz po naszej prawej, nie zauważyliśmy go do tej pory. Wygląda trochę jak przejazd kolejowy, ale nigdzie nie widzę torów. Teraz nic już nie rozumiem. Padamy więc na ziemię i leżymy, ale nic się nie dzieje. Szepczę do jednego ze zwiadowców, Richardsa:

– Pójdę kawałek dalej, zobaczę, co to jest, podejrzewam, że nic szczególnego, ale lepiej będzie obejrzeć to coś z bliska, będziemy mogli przynajmniej czymś podeprzeć naszą bajeczkę.

Richards podnosi się ze mną.

– W porządku, pójdę z tobą i będę osłaniał.

Kiedy podchodzimy bliżej pagórka, Richards mówi, że sam pójdzie go sprawdzić. Właśnie wtedy powinienem był skończyć całą sprawę. Nie musieliśmy wcale wiedzieć, co kryje się pod tym podejrzanym przejazdem.

Nie zrobiłem tego jednak. Kładę się na śniegu, żeby osłaniać Richardsa. Ten rusza naprzód, obchodzi zasypany śniegiem kopczyk i znika w jakiejś dziurze.

W tej samej chwili wypada stamtąd biegiem, pędzi, jakby go diabli gonili! Za jego plecami rozlegają się wystrzały karabinowe, pada więc na ziemię, podnosząc karabin. Wygląda na to, że połowa niemieckiej armii rzuca się za nim w pościg.

Zaczynam strzelać jak wariat, od razu wystrzeliwuję piętnaście nabojów, potem próbuję zmienić magazynek. Trafiliśmy w sam środek prawdziwej wojny, strzelamy do siebie jak kowboje i Indianie! Niemcy orientują się, że jest nas więcej i pędem wracają do bunkra.

To, co braliśmy za przejazd kolejowy, okazuje się bunkrem, jednym z trzech. Pozostałe dwa wzniesione są wyżej, to właśnie je widzieliśmy. Trzeci ustawiony jest tyłem, by chronić pozostałe dwa. Daliśmy się kompletnie nabrać, nie zorientowaliśmy się zupełnie, co jest grane, weszliśmy prosto w pułapkę.

Cała drużyna leży rozciągnięta na otwartym, pokrytym śniegiem polu, las wznosi się przed nami. Z jego skraju zaczyna się ostrzał z karabinów maszynowych, krzyżowy ogień obejmujący cały teren, na którym znalazła się moja drużyna. Żołnierze krzyczą, strzelają, wyją, klną, rzucają się, padają, próbują uciec, ale i tak wszyscy zostają pochwyceni w śmiercionośny ogień. Nic mi się jeszcze nie stało, ale obydwaj zwiadowcy już dostali. Russ, zastępca dowódcy drużyny, dostał od razu, Richards, który miał mnie osłaniać, też już oberwał. Widzę, że rzuca się na śniegu.

Zamiast karabinu M1 miał karabin przerobiony na automatyczny przez spiłowanie zaczepu spustowego tak jak mój. Miał zatem piętnaście naboi. Wydaje się, że to spora siła ognia. Powinna to być znakomita broń do walki na krótki dystans, ale okazała się nie dość dobra.

Rozglądam się i widzę, że większa część drużyny została już skoszona. Niektórzy starają się uciekać, inni próbują się ostrzeliwać, ale to bez sensu. Dochodzę do wniosku, że nie mogę tutaj zostać, nie mogę też się poddać. Moje poddanie się nie pomoże kolegom.

Wydaje mi się, że jeśli pobiegnę dostatecznie szybko pod górę, może uda mi się przebiec pomiędzy karabinami maszynowymi. Zauważyłem już, że przesuwają się tylko z jednej strony na drugą, nie są to karabiny ręczne, ale zamontowane na podstawie, mają zatem określony czas przesuwu. Jeśli zdołam się dostać w przestrzeń pomiędzy ich zasięgiem, będę miał choć cień szansy. Myśl ta przeszywa mój mózg w ułamku sekundy. Rzucam się biegiem, zanim zdążyłem wszystko przemyśleć. Pędzę, spodziewając się, że za sekundę pocisk rozwali mi głowę.

Jakoś, pewnie cudem, przebiegam pomiędzy bunkrami i wydostaję się z krzyżowego ognia. Przedzieram się przez las. Patrzę w dół stoku: nikt się nie rusza – ani żaden z naszych, ani Niemcy. Patrzę, ale nie sądzę, bym mógł jeszcze zobaczyć kogoś przy życiu.

Wpakowaliśmy się na stanowisko umocnione, należące do systemu obrony. Niemcy, wycofując się, wznoszą takie punkty, aby chronić swoje tyły. Większość oddziałów ma zazwyczaj połączenie telefoniczne z punktami, aby otrzymać wcześniejsze ostrzeżenie w wypadku ataku. Dla nas jest to najgorsza z możliwych sytuacji, w dodatku wpakowaliśmy się w nią na ślepo.

Na szczęście udaje mi się przebić poza zasięg ognia. Zginam się wpół, próbuję złapać oddech. Nie wiem, co jeszcze czeka mnie w tym lesie. Skradam się, później ostrożnie przechodzę przez linie innej kompanii, mam dość szczęścia, by nie zginąć przy tej okazji. Krzyczę na cały głos:

– Jestem Amerykaninem, jestem Amerykaninem, nie strzelajcie!

Z podniesionymi w górę rękami, z karabinem

zwisającym mi z ramienia podchodzę do okopu, gdzie siedzą dwaj szeregowcy, których nigdy wcześniej nie widziałem. Padam na ziemię jak martwy, drżę na całym ciele, ogarnia mnie poczucie potwornej winy, a jednocześnie śmiertelnego przerażenia. Żołnierze pozwalają mi odrobinę odpocząć, a potem prowadzą mnie do kuchni. Stamtąd około szóstej rano zostaję odprowadzony do kwatery dowództwa. Artyleria zaczęła już ostrzał.

Odzyskałem już do tej pory nieco siły i częściowo zdolność trzeźwego myślenia. Jestem oszalały ze złości, a jednocześnie przerażony. Poczucie winy przemieniło się w czysty, morderczy, nieopanowany gniew, który doprowadza mnie do szaleństwa. Wiem, że Ethridge chrapie w jednym z dużych namiotów razem z ludźmi z kolumny transportowej. A powinien teraz być gdzie indziej. Jestem przekonany, że jest zwyczajnym tchórzem, gorszym nawet ode mnie.

Powinienem był wiedzieć, że go tu znajdę. Zawsze, kiedy rozbijamy obóz, kopie dla siebie albo każe sobie wykopać okop. Nie winię go za to. „Rozpoznaliśmy się", jest to uczucie wzajemne i na pewno nie jest to szacunek.

Wchodzę do namiotu i znajduję pryczę Ethridge'a, śpi na plecach z wielkim brzuchem na wierzchu, ubrany w bieliznę, okryty trzema kocami; żaden z nas tyle nie ma. Jestem zaskoczony, że nie siedzi w swoim okopie. Zauważam jeszcze, że nadal trzymam w rękach karabin. Staję nad pryczą i zaczynam go przeklinać. Kiedy się budzi i gapi na mnie, walę go kolbą karabinu w brzuch. Nie strzelam do niego, trzeba mi to przyznać, chcę, ale nie potrafię. Jak się później okazało, mój cios uszkodził mu mostek i złamał cztery żebra. Nie miałem pojęcia, że uderzyłem tak mocno. Na pewno go jednak obudziłem. Zwróciłem na siebie jego uwagę.

Ethridge, jęcząc, zsuwa się z pryczy i staje przede mną. Biorę zamach karabinem i uderzam go kolbą w twarz, a on zalewa się krwią. Zaczyna krzyczeć. Tracę panowanie nad sobą. Drę się na całe gardło, jaki z niego przeklęty tchórz, krzyczę, że cała drużyna zginęła z jego powodu. Jestem tak wściekły, że nie mogę mówić. Nie mogę złapać oddechu. Trzech facetów z kolumny transportowej podnosi się z prycz, jeden z nich łapie ciężką latarkę, której używają w nocy przy usuwaniu awarii. Uderza mnie nią w głowę, a potem świeci mi w oczy. Widzę Ethridge'a, stoi, kiwając się w przód i w tył, i klnie na cały głos. Rzucają się na mnie i przyciskają mnie do ziemi. Nie próbuję z nimi walczyć, nie mam już siły. Mogę już tylko płakać.

Ethridge jest w takim stanie, że trzeba wezwać sanitariuszy. Odbierają mi karabin, nie chcą jednak budzić jeszcze dowódcy kompanii. Wsadzają mnie więc do pustej pałatki i pilnują. W końcu zjawia się Anderson.

– Co się, do cholery, stało?

Siedzę nieruchomo.

– Gdzie jest reszta drużyny?

Podnoszę wzrok na jego czystą, białą twarz.

– Nie żyją, wszyscy nie żyją, panie poruczniku, dzięki Ethridge'owi.

Jak się okazuje, nie mam racji. Jeszcze jeden chłopak, który dołączył do nas w ramach posiłków, zrobił to samo co ja, instynktownie rzucił się w moje ślady. Jestem w końcu dowódcą drużyny, biegł więc za mną. Jakoś zdołał wrócić przez las i przeszedł przez pozycje kompanii C. Pozostali członkowie drużyny nadal tam leżą, wszyscy zginęli, nikt się nie rusza. Znaleziono ich następnego dnia, nie poszedłem na to patrzeć, dostałem zakaz opuszczania koszar.

16

Sąd polowy

Następnego dnia wzywa mnie pułkownik Douglas Moore, dowódca naszego pułku. Idą ze mną major Woods, porucznik Anderson i drugi szeregowiec, któremu również udało się uciec. Mówię, na co trafiliśmy i jak szybko potoczyły się wydarzenia. Później, kiedy pułkownik opowiada jakieś bzdury o tym, że porzuciłem swoich ludzi, mówię, że moim zdaniem wszystkiemu temu winny jest sierżant Ethridge. To on nalegał na przeprowadzenie tego patrolu, chociaż porucznik Anderson i ja próbowaliśmy wskazywać związane z tym niebezpieczeństwo. Major Woods wiedział zbyt mało, by domyślać się, jak niebezpieczne i głupie było to wszystko. Po prostu nie był to taki patrol, do jakich przeznaczone są oddziały zwiadu i rozpoznania. Porucznik Anderson mnie wspiera. Żaden z nas nie próbuje obciążać majora Woodsa, to mogłoby tylko pogorszyć sytuację.

Zapada cisza. Pułkownik przygląda nam się z powagą. Oczami wyobraźni wciąż widzę go owiniętego kocem z nogami w wiadrze z gorącą wodą.

– Wiecie wszyscy, że powinienem zwołać specjalny albo ogólny sąd polowy. Sierżant Ethridge nie będzie już mógł służyć w wojsku. Brakuje mu zbyt wielu zębów. Zostanie zwolniony z armii, dostanie Purpurowe Serce i Brązową Gwiazdę.

Będzie otrzymywał pełną rentę jako inwalida wojenny. – Przerywa. – A wy, Wharton, ze względu na okoliczności łagodzące staniecie jedynie przed doraźnym sądem polowym. Nie znajdzie się to w waszych papierach. Zostajecie jednak zdegradowani do stopnia szeregowca i przeniesieni z kompanii dowodzenia do kompanii K trzeciego batalionu. Nie chcę więcej słyszeć o tym żałosnym wypadku. – Milknie, chcąc się upewnić, czy wszystko zrozumieliśmy. – Spocznij. A tak prywatnie, czy zdajecie sobie sprawę z tego, co zrobiliście, Wharton, atakując starszego stopniem podoficera? Omal go nie zabiliście. Dostałem właśnie raport ze szpitala polowego. Jego kariera wojskowa jest definitywnie skończona. Możliwe, że wyświadczyliście mu przysługę. Szczerze mówiąc, ostatnio nie wywiązywał się już ze swoich obowiązków, był przez cały czas przerażony i wyżywał się na swoich ludziach. I tak musiałbym go kimś zastąpić. Co się tyczy was, Wharton, zamierzam załatwić sprawę doraźnie, zobaczymy, czy to wystarczy. Nie sądzę, by major Woods próbował rozdmuchiwać sprawę, ponieważ nie będzie chciał ujawniać, że wysłał żołnierzy na patrol w takich okolicznościach.

Pułkownik Moore, zawodowy oficer, kontroluje nie tylko zwiad i rozpoznanie, ale całą kompanię dowodzenia. To naprawdę spora gromada ludzi, kucharze, pralnia, kolumna transportowa, ludzie, którzy tak naprawdę niewiele mają do czynienia z wojną. Po prostu utrzymują w ruchu całą maszynerię, to personel dowództwa. Zwiad i rozpoznanie stanowi jedyną część kompanii dowodzenia, która bierze udział w prawdziwej walce, a nawet nam zdarza się to bardzo rzadko.

W porównaniu z oddziałami liniowymi mamy wspaniałe życie, z wyjątkiem zwariowanych patroli. Nie jestem więc za bardzo zadowolony z przeniesienia do kompanii liniowej.

Tego dnia zostaję zdegradowany do szeregowca. Zabieram swoje rzeczy i wynoszę się z plutonu zwiadu i rozpoznania do mojej starej kompanii K.

W ostatnim czasie poniosła ona spore straty, zostaję więc uznany za nowego, a to niebezpieczna sytuacja, ponieważ ktoś taki dostaje zawsze najgorszą robotę do wykonania. Jestem zadowolony, że przynajmniej na razie udało mi się uratować skórę. Szczerze mówiąc, miałem już nadzieję, że pójdą na całego, wyślą mnie z powrotem i wsadzą do więzienia. Wszystko, byle tylko wydostać się z frontu. Ethridge miał cholerne szczęście.

Jednocześnie obawiam się, że mogą mnie wyrzucić karnie, a w wojsku nauczono mnie, że powinienem się tego bać. Wiem wprawdzie, że wojna to okropnie głupia rzecz, ale nie chcę nosić stygmatu karnie usuniętego z armii.

Teraz rozumiem, że prawdziwymi bohaterami są ludzie uchylający się od służby wojskowej. Jednak cały ten śmietnik, który wpompowano mi do osiemnastoletniej głowy, nie pozwalał mi tego zrozumieć. Wiedziałem za mało, a poza tym brakowało mi chyba odwagi.

Jeden z szeregowych pomaga mi w przenosinach do kompanii K. Zabieram ze sobą płócienny worek i karabin. Błotnistymi drogami wiezie mnie kucharz z kompanii dowodzenia. Był przyjacielem Ethridge'a, więc uważa mnie za czarny charakter, przez całą drogę nie odzywa się do mnie ani słowem. Wiem, że cała kolumna transportowa jest przeciwko mnie. Wygrali od Ethridge'a mnóstwo pieniędzy w pokera, a ja prawie zabiłem im tę kurę znoszącą złote jajka.

Właściwie dobrze się stało, że nie zostałem w kompanii dowodzenia. Połowa kompanii zwiadu i rozpoznania zginęła, w tym wszyscy moi przyjaciele. Pozostała tylko jedna drużyna, ale służący w niej żołnierze nie należeli do pierwotnego stanu. Po bitwie w Ardenach zostali przeniesieni z oddziałów przeciwczołgowych. Cieszę się, że odchodzę.

Kiedy docieram do kompanii K i melduję się u dowódcy, rozglądam się w poszukiwaniu moich dawnych towarzyszy, ale większość z nich zniknęła, zostali ranni albo zginęli. Przypomina mi to opowieści o pierwszej wojnie światowej. Od chwili, kiedy od nich odszedłem, ciągle nacierają i tak już pozostanie do końca.

17

Szampańskie przyjęcie

Jako że byłem kapralem i jestem starym żołnierzem kompanii K, jej dowódca, kapitan Wall, bierze mnie pod swoją opiekę. Awansuję zatem całkiem szybko, może nie tak szybko, jak trigamista sierżant Hunt, ale wcale wcale. Dowiaduję się, że kapitan Wall jest piątym z kolei dowódcą kompanii, poprzedni czterej zginęli. On też wygląda na takiego, który może w każdej chwili zginąć, ale nie zdaje sobie z tego sprawy.

Czuję się zniechęcony do wojny, oczywiście „zniechęcony" to eufemizm. Czuję obrzydzenie i szaleńczy strach. Patrol, w trakcie którego straciłem swoją drużynę, doprowadził mnie na krawędź szaleństwa, jeśli w ogóle została mi choć odrobina normalności. Nie potrafię się na niczym skupić. Bez przerwy myślę tylko: „jak mogę się z tego wydostać, jak mogę pozostać przy życiu i nie zabijać więcej ludzi?"

Przed szaleństwem ratuje mnie to, że zostałem ranny. Nie były to poważne rany, jeden odłamek szrapnela utkwił mi w przegubie, a drugi w pachwinie, ale, co fascynujące, kiedy rany od szrapnela już się goją, włóczę się po szpitalu, z trudnością utrzymując się na nogach.

W nocy nie potrafię wręcz dotrzeć do toalety i nikt nie wie, co się ze mną dzieje. Kupuję sobie latarkę. Wydaje mi się, że w końcu zaczynam naprawdę wariować, ale lekarze uważają, że symuluję. Okazuje się, że od potężnego wybuchu amerykańskiego pocisku kaliber sto pięćdziesiąt pięć milimetrów, w wyniku którego zostałem ranny, uszkodzone zostały kanały słuchowe w uszach. Na razie jednak tego nie wiem, nie wiedzą też lekarze. Szwy w pachwinie, które założyli mi w szpitalu polowym po wyjęciu odłamka, puszczają i konieczna jest powtórna operacja.

Powoli zbliża się koniec wojny. Z przyczyn, których do dziś dnia nie potrafię zrozumieć, kiedy forsujemy Ren, wszyscy chorzy, którzy mogą chodzić, w tym i ja, choć chodzę bardzo niepewnie, wracają do swoich oddziałów. Uszkodzenie kanałów słuchowych sprawia, że traci się poczucie równowagi. Chodzę jak pijany marynarz i przez cały czas skarżę się na nudności, nie wiem, co się ze mną dzieje, a wszyscy powtarzają, że pocisk kaliber sto pięćdziesiąt pięć wybuchł zbyt blisko i mam wstrząs mózgu, ale wszystko będzie dobrze.

Lekarze podejrzewają wszystkich, że próbują uniknąć walki, symulując chorobę. To prawda, ale ze mną jest naprawdę niedobrze, a oni nie chcą mnie słuchać. Kiedy dzieje się naprawdę źle, zostaję odesłany do mojej kompanii. Forsujemy Ren na niewielkich łodziach z pomocą amerykańskiej marynarki wojennej. Armia przeszła już Ren na północ od nas po moście w Remagnen, który ktoś zapomniał wysadzić w powietrze. Nasze forsowanie jest więc całkowicie niepotrzebne. Doszło do niego prawdopodobnie dlatego, że zgromadzono wszelki potrzebny sprzęt. A może miały to już być ćwiczenia przed następną wojną, kto wie.

W każdym razie forsujemy rzekę, a ja czuję się okropnie. Nie mogę utrzymać karabinu, jedno ramię mam w bandażach i na temblaku. Nie muszę ciągle go trzymać w tej pozycji, więc temblak zwisa mi na ogół z szyi jak jakieś odznaczenie. A może chcę w ten sposób obudzić litość? Wyglądam trochę jak jedna z postaci na obrazie *Wolność wiodąca lud na barykady* Delacroix.

Przedostajemy się na drugi brzeg i rozpoczynamy atak po śliskiej skarpie nad Renem. Samo forsowanie przebiega bez specjalnych kłopotów, zaledwie pod rzadkim ostrzałem małokalibrowym. Prawdopodobnie strzelają cywile, którzy próbują bronić swoich domów przed amerykańskimi maruderami. Niemcy wiedzą, że przekroczyliśmy Ren w Remagnen, więc w większości zdążyli się już wycofać. Są odrobinę inteligentniejsi od naszych dowódców. Samo wspinanie się po stromym stoku porośniętym winnicami jest już nie lada wyzwaniem, w końcu jednak docieramy do Koblencji.

W mieście pozostało jeszcze wielu niemieckich żołnierzy. To jedyne walki uliczne, w jakich brałem udział w czasie całej wojny. Zdobywamy dom za domem, próbując opanować ważne punkty miasta i wypłoszyć snajperów. Kiedy już się wydaje, że wyłapaliśmy wszystkich, jakiś następny fanatyk zaczyna do nas strzelać. Zazwyczaj trzech czy czterech szeregowców obrywa, zanim udaje nam się ustalić, gdzie jest snajper, a wtedy rzucamy granat albo walimy kilka razy z moździerza, w zależności od potrzeb.

Uznaję, że pora już wycofać się z tej wojny. Wszystko to za bardzo przypomina sceny z jakiegoś marnego filmu, już nie chcę mieć z tym nic wspólnego. Chowam się w jakiejś piwnicy i siedzę w niej, dopóki nie ucichną wystrzały karabinowe, wybuchy granatów i huk moździerzy. Nie wydaje mi się, by wzięto wielu jeńców, ale niewiele mnie to obchodzi. Jak się okazało, skryłem się w piwniczce na wino, odkrywam w niej stojaki pełne butelek szampana! Nadrenia nie jest krainą szampana, Niemcy musieli zatem skonfiskować go we Francji. Siedzę tak i nie mam pojęcia, jak otworzyć butelkę szampana, zwłaszcza z jedną ręką zabandażowaną. Trudno jest jedynie usunąć druty przytrzymujące korek, bo później nie można już powstrzymać musującego wina od wystrzelenia z butelki. Walczę zatem z drutem, potem następuje wystrzał, ponieważ szampan nie jest odpowiednio schłodzony.

Walki w Koblencji trwają już trzeci dzień, a wodociągi zostały już na początku walk zamknięte albo wysadzone w powietrze. Umieramy więc wszyscy z pragnienia, sytuacja przypomina tę pod Metzem, tylko że tym razem kolej na nas. Może właśnie na to przygotowywano nas podczas „wodnych marszów". Nigdy nie byłem pijakiem, teraz jednak gotów jestem pić cokolwiek, piję więc szampana. Kiedy sytuacja na zewnątrz w końcu się uspokaja, znajduję kolegów i mówię im o moim odkryciu.

Powinienem był się choć chwilę zastanowić. Oczywiście wszyscy rzucają się biegiem do mojej piwnicy. Każdy łapie za butelkę, przez chwilę biedzi się z otwarciem i już wkrótce wszyscy pijemy szampana. Musujący płyn kapie nam po brodach i oblewa mundury.

Nagle ktoś wpada na pomysł, że moglibyśmy wykąpać się nago w szampanie, jak robią to wielkie gwiazdy w filmach. I tak wszyscy jesteśmy brudni i spoceni.

Jeśli można jakoś wytłumaczyć ten rabunek i marnotrawstwo, to tylko tym, że ktoś na tyłach zapomniał dostarczyć wodę, a z kurków nie płynie ani kropelka. Musimy jakoś sobie poradzić, a picie szampana wydaje się wcale niezłym pomysłem.

Z początku wszyscy jesteśmy bardzo pijani, ale im więcej szampana w siebie wlewamy, tym silniejsze staje się pragnienie. Ustawiamy się w długi szereg jak strażacy i podajemy sobie butelki na pierwsze piętro, gdzie jest wanna, którą napełniamy musującym winem. Niestety, faceci, którzy stoją przy wannie, nie mają zielonego pojęcia, jak otwierać butelki i obtłukują po prostu szyjki o ścianę i wlewają do wanny to, co zostaje. Szampan leje się strumieniami, jakbyśmy byli drużyną piłkarską fetującą zwycięski mecz. Kąpiemy się kolejno. Kiedy szampan staje się tak brudny, że nie widać już dna wanny, wyciągamy korek i ponownie ustawiamy się w szeregu. Na dnie wanny zbierają się okruchy szkła, ale nikogo to nie obchodzi. Cud, że nikt się nie poharatał. Trafiają się wprawdzie drobne skaleczenia, ale nikt nie zwraca na nie uwagi. Kilka butelek wybucha żołnierzom w rękach. Wszystko przemienia się w wielkie bachanalia, szaleństwo wprost trudne do uwierzenia.

Oczywiście, później nie możemy znaleźć nic, w co moglibyśmy się wytrzeć, a wszyscy kleimy się okropnie. Wcześniej jakoś o tym nie pomyśleliśmy. Używamy więc do tego celu zasłon z wysokich na dwa piętra okien tego pięknego domu i ubieramy się. Spodnie, bielizna, wszystko klei się teraz do ciała. Wciąż pijemy szampana. Faceci padają na ziemię pijani w sztok i wymiotują, gdzie popadnie. Pamiętam jeszcze tylko, że stanąłem w drzwiach i, osuwając się na podłogę, pomyślałem, że gdyby w tej chwili Niemcy przeprowadzili kontratak, byłoby już po nas. Teraz jednak nic nie mogłoby mnie mniej obchodzić.

Oczywiście, kiedy kwatermistrzostwo dostarcza nam w końcu wodę w kanistrach, upijamy się ponownie, tym razem wodą.

Na szczęście odsyłają mnie do szpitala. Ktoś doszedł w końcu do wniosku, że zupełnie bez sensu jest trzymać na froncie faceta z ramieniem na temblaku, pijanego, z zabandażowaną ręką i świeżo po operacji, pakują mnie więc na ciężarówkę i odwożą nad rzekę, a tam wsadzają na łódź kursującą z jednego brzegu na drugi, która transportuje sprzęt wojskowy. Przewożą mnie jak wór kartofli, wrzucają na następną ciężarówkę, żaden tam ambulans i odwożą do szpitala.

18

Rosyjska ruletka

Szpital mieści się w Metzu. Podróż trwa bardzo długo i wyjątkowo źle ją znoszę. Boli mnie żołądek, prawdopodobnie wciąż jestem pijany od szampana. W szpitalu polowym spędzam dwa tygodnie, w tym czasie czytam w „Stars and Stripes", że Rosjanie zbliżają się już do Berlina. Wydaje mi się, że obserwowanie wojny ze szpitalnego łóżka to znakomity sposób na jej spędzenie.

Wracam do jednostki na dwa dni przed naszym pierwszym spotkaniem z Rosjanami. Wszyscy byliśmy na nie przygotowani i jednocześnie obawialiśmy się tego dnia. Niemieccy jeńcy, którzy mówią po angielsku, starają się nas przekonać, że Rosjanie nie zatrzymają się, pójdą dalej przez nas.

Żołnierze, których spotykamy, pochodzą z Mongolii. Noszą futrzane czapki z nausznikami zamiast hełmów. Przypominają pluszowe niedźwiadki albo drużynę piłkarską pierwszoroczniaków. Są jednak przy tym śmiertelnie niebezpieczni.

Wspólnie stoimy na warcie. Kiedy przytrafia mi się to po raz pierwszy, wiele się do siebie uśmiechamy. Jednak w żaden sposób nie potrafimy się porozumieć. Po dwóch godzinach przyjeżdża ciężarówka, aby zabrać wartownika i przywieźć zmiennika.

Nigdy tego nie zapomnę. Ciężarówka zbiera żołnierzy z różnych posterunków. Wóz jednak nie zatrzymuje się, tylko zwalnia nieco, a żołnierze próbują wskoczyć na pakę. Niby to nic trudnego, tylko że Rosjanie, którzy są już w środku, spychają swoich kolegów. Ci z kolei wybuchają śmiechem, podnoszą się z piasku, puszczają biegiem za ciężarówką i ponownie zostają zepchnięci na ziemię. Biegną tak z powiewającymi nausznikami, aż w końcu udaje im się wsiąść. Wszyscy siedzący w środku śmieją się i piją wódkę. Widzę taką scenę dwa czy trzy razy, nikt nigdy się nie denerwuje, wszyscy się śmieją.

Wydaje mi się, że tak bardzo cieszą się z tego, że po pięciu upiornych latach pokonali w końcu Niemców, że wydaje im się, iż już nic złego nie może im się przydarzyć. A może po prostu tacy już są. Mam nadzieję, że nigdy nie będę musiał się tego dowiedzieć.

Te dzikusy dostają codziennie około litra wódki, pełną manierkę, żłopią ją wielkimi haustami i nalegają, byśmy pili razem z nimi. No cóż, nigdy wcześniej nie widziałem ani nie próbowałem wódki. Szampan czy calvados to czysta woda w porównaniu z rosyjską wódką. Codziennie zatem wracamy z warty na wpół pijani, oni zaś są prawie stale kompletnie zalani.

W armii amerykańskiej obowiązują bardzo ścisłe zasady dotyczące użycia broni. Nie można strzelać, kiedy ma się taką ochotę. Rosjanie strzelają do wszystkiego, co się rusza, zaczynają też rabować i gwałcić.

Nie wiem, dlaczego Niemki nie próbują się chować, tylko po prostu wychodzą na ulice. Ci faceci ścigają je jak króliki czy sarny, drąc się przy tym na całe gardło. Trudno nazwać to uwodzeniem, dochodzi do najzwyklejszych gwałtów. Na ogół, choć nie zawsze, wciągają kobiety do bram, by nie robić tego na ulicy. Kobiety błagają nas, byśmy bronili je przed tymi bestiami. Próbujemy, ale Rosjanie wycelowują w nas swoje karabiny. Nie mamy żadnych wątpliwości, co do tego, że będą strzelać; jesteśmy dla nich równie dobrym celem jak każdy inny. Zaczynam sądzić, że Niemcy mieli jednak trochę racji.

Oczywiście, te same kobiety przyjmują papierosy i czekoladę od amerykańskich żołnierzy, którzy zabierają się do rzeczy w trochę może subtelniejszy sposób. Nadal przypomina to gwałt, ale nie ma mowy o otwartej przemocy. Większość kobiet od dawna była pozbawiona towarzystwa mężczyzn. Jest to jedyny powód, jaki przychodzi mi do głowy. Wkrótce przekonuję się, że krzyki, które słyszę, nie są na ogół wołaniem o pomoc. Często dochodzą nas śmiechy i wymieszane okrzyki po mongolsku, angielsku i szwabsku. A kobiety nadal wychodzą na ulice.

Ja jednak mam dziewiętnaście lat i powoli tracę wiarę w ludzi. Moje morale już od dawna nie miało się najlepiej, teraz jednak obserwuję, co się wokół mnie dzieje, rzeczy, o których nigdy nie słyszałem, nie myślałem, nie śniłem w najgorszych snach.

Tym facetom, zarówno Rosjanom, jak i Amerykanom, nie chodzi tylko o seks. Oni poniżają te kobiety, wymieniają się nimi. Nie chcę wchodzić tutaj w szczegóły, ale to jest gorsze, niż można by to sobie wyobrazić.

Nikt nad tym nie panuje. Nie ma z nami oddziałów żandarmerii wojskowej. Oficerowie boją się teraz własnych szeregowców i podoficerów bardziej niż wroga. Wojna jest już prawie zakończona. Niektórzy spośród oficerów wykonywali tylko swoje obowiązki, część jednak była złośliwa albo okrutna bez żadnego powodu, władza uderzyła im do głowy. Teraz podobni twardziele starają się ukrywać przed swoimi żołnierzami.

To wszystko jest okropne. Przypominam sobie pewien incydent, w którym brałem udział. Stary Niemiec podszedł do mnie, drżąc, i podał mi aparat fotograficzny. Wydano rozporządzenie, że Niemcy muszą przekazać władzom okupacyjnym wszystkie aparaty. Nie wiem, jak to się stało, ale do tej chwili nie słyszałem nawet o tym zarządzeniu.

Niemiec próbuje wcisnąć mi aparat, zmusić mnie, bym go od niego wziął. Ja zaś myślę, że próbuje mi go sprzedać. Nie potrzebuję aparatu, nie miałbym co z nim zrobić. Z trudnością udaje mi się udźwignąć to, co już zebrałem. Daję więc Niemcowi papierosy i cukierki, ale niczego nie chce ode mnie przyjąć. Prawie zaczyna płakać. Żeby się go pozbyć, biorę więc ten aparat i siadam na kupce gruzu, aby mu się przyjrzeć. Niemiec ucieka. Aparat jest po prostu wspaniały, ze składanym obiektywem, jak się później okazuje, jest to jedna z nielicznych rzeczy, które udało mi się dowieźć do Stanów. Do dnia, kiedy spłonął mój dom, trzymałem ten aparat na biurku, aby przypominał mi, jak okrutna jest wojna i jak bezbronni są wobec niej cywile.

19

Kozioł ofiarny potrzebny na gwałt

W końcu Rosjanie wycofują się. Podpisane zostaje porozumienie między Amerykanami i Rosjanami dotyczące podziału stref okupacyjnych. Nasza jednostka ląduje w Plauen. Później miasto to znalazło się we wschodnich Niemczech. W tej chwili jest jedną wielką ruiną, pozostały jedynie pojedyncze budynki, wydaje mi się, że w całym mieście trudno byłoby znaleźć jedną całą szybę. To wielkie morze gruzów.

Rabunek i gwałty zaczynają się na nowo. Ponownie otrzymuję awans do stopnia kaprala i mam pod sobą drużynę złożoną z dziesięciu ludzi. Z tym z kolei wiąże się następne wydarzenie, które nie poprawiło mojej opinii o ludziach ani o sobie samym.

Dobrze znam tych chłopaków, razem jemy, razem się śmiejemy i razem boimy. Rosjanie odeszli, ale ich pobyt sprawił, że coś się w nas rozsypało. Może wynika to z podejścia: „jeśli oni mogą, to czemu nie my". Ludzie często chyba tak właśnie myślą, skłonni są naśladować innych, nawet w najgorszym. Starczy pomyśleć o boksie, kibicach piłki nożnej czy nawet koszykówki – o sportach, które uważa się za bezpieczne, choć naprawdę są pełne złości i przemocy, a wszyscy im kibicują.

Teraz rozumiem już, jak mogło dojść do holocaustu. Musimy strzec się słabości, która kryje się w każdym człowieku. Instynkt stadny jest nadal silny u bardzo wielu ludzi, którzy pójdą za przywódcą, führerem, choćby najbardziej szalonym i nieludzkim, dlatego tylko, że to on jest przywódcą, a inni za nim idą. Ludzie, którym nigdy nie przyszłoby do głowy palenie, zabijanie gazem innych, którzy nigdy nie pomyśleliby o tym, że mogliby sami zrobić coś takiego, robią, co im się rozkaże, niezależnie od tego, jak bardzo jest to okrutne, potworne czy zbrodnicze. Robią to wszystko tylko dlatego, że robią to i inni.

Pomyślcie tylko o rewolucji francuskiej, hiszpańskiej Inkwizycji, pogromach Żydów w Rosji, kampanii przeciwko kułakom, mordach dokonanych przez Mao w Chinach, białych mordujących w Ameryce Murzynów i Indian. Historia jest pełna wydarzeń, które są sprzeczne z ogólnie przyjętymi normami ludzkiego zachowania. Nasz naturalny system zawodzi przez lęk. Cywilizacja zawodzi, bariery pękają, na powierzchnię wydostają się najgorsze elementy ludzkiej natury, fasada cywilizacji rozpada się w proch.

Nawiedzają mnie takie właśnie myśli, a nie mam przecież jeszcze dwudziestu lat. Naprawdę nie jest mi teraz łatwo.

Pilnujemy najdziwniejszych rzeczy. Na przykład ktoś skakał ze spadochronem i spadochron zaczepił się o gałęzie drzewa. Pilnujemy więc spadochronu, może dlatego, że jedwab jest bardzo cenny i ktoś mógłby go ukraść, a może ktoś wydał taki rozkaz tylko po to, żeby dać nam jakieś zajęcie w płonnej nadziei, że w ten sposób uda się nas powstrzymać przed wpadnięciem w kłopoty.

W piwnicach zburzonych domów zmagazynowane są najróżniejsze cenne towary. Naszym zadaniem jest podobno chronienie ich przed rozgrabieniem przez naszych żołnierzy albo przebywających w mieście niemieckich cywilów. Nie ma już tutaj niemieckich żołnierzy, zostali odepchnięci i teraz albo walczą jeszcze z Rosjanami, albo są tysiącami brani do niewoli.

Strzeżemy też ruin w pobliżu tartaku. Mamy pilnować wartościowych towarów, zebranych w piwnicach. Nasze posterunki rozstawione są w sporej odległości od siebie. Powinienem je obchodzić i upewniać się, że wartownicy stoją na swoich posterunkach i że nikt nie śpi. Jest już późne popołudnie, warty trwają po cztery godziny z dwugodzinnymi przerwami.

Robię zatem obchód, podchodzę do żołnierzy strzegących piwnicy pełnej eleganckich ciuchów, między innymi pełno tu pięknych jedwabnych chustek. Wydaje mi się, że nie wyprodukowano ich w Niemczech, ale nie jestem pewien, bo nie mają żadnych metek. Wylewam wodę z „wyzwolonej" niemieckiej manierki i po prostu zaczynam wkładać do środka chustki, wiążąc je razem za rogi jak słonie na paradzie w cyrku. Udaje mi się wcisnąć do manierki około siedemdziesięciu chustek, potem zakręcam ją i wrzucam do płóciennego worka. Udało mi się je dowieźć do domu i rozdać mojej mamie, siostrze i dziewczynie, przez wiele lat miały prześliczne jedwabne chustki. Mogę się usprawiedliwić tylko w taki sposób, że ukradłem to, co ukradli Niemcy. Łatwo jest stracić szacunek dla samego siebie, ale taka jest wojna i może właśnie taka ma być.

Wolno nam zabierać wyposażenie wojskowe,

na przykład manierki, jako pamiątki wojenne i wysyłać je do domu. Ja sam wysłałem jeszcze niemiecką panterkę i ozdobny sztylet, który odebrałem niemieckiemu oficerowi. Ale chustki zapakowane do manierki były moją najbardziej udaną grabieżą.

W tej chwili nie ma to jednak żadnego znaczenia. Podchodzę do posterunku, na którym dwóch szeregowców powinno pilnować piwnicy. W gruzach mają dwie kobiety i z nie ukrywaną radością zajmują się oczywistą w tej sytuacji rozrywką. Jestem wkurzony.

– Wy dwaj, wyrzućcie stąd natychmiast te kobiety. Idę na obchód. Kiedy wrócę, ma ich już tutaj nie być!

Odgrywam ważnego kaprala, ale ktoś w końcu musi to robić.

Wracam do szeregowców, którzy pilnują spadochronu. To najwygodniejszy z posterunków, po jednym z budynków pozostał kawałek daszku, pod którym można skryć się, gdy pada deszcz. Spotykam tutaj kaprala Hastingsa.

– Słuchaj, Pete – mówię – pójdę sprawdzić, czy chłopaki naprawdę pozbyli się tych Niemek, o których ci mówiłem.

Wracam zatem i widzę, że wykonują moje polecenie, choć przychodzi im to bardzo, bardzo wolno. Obie kobiety są już ubrane i właśnie wychodzą z piwnicy. Muszą jeszcze tylko podnieść ciężką klapę. Nie jest ona zrobiona z drewna, a ze stali, wydaje mi się więc, że piwnica ta służyła pewnie jako schron przeciwlotniczy.

Kobiety wychodzą przez bramę na ulicę, wyraźnie przerażone moim widokiem, i rzucają się biegiem do ucieczki. I któż to właśnie w tym momencie nadjeżdża ulicą? Kto by w to uwierzył, sam dowódca całej naszej dywizji, generał Collier. Wraz z nim jedynie jego syn w stopniu majora, jego adiutant, klasyczny przykład wojskowego nepotyzmu. Nawet na chwilę nie oddala się od tatusia. Oficerom naszej dywizji ten układ bardzo się nie podoba. Generał Collier jest już starym człowiekiem. Może tak naprawdę nie był jeszcze stary, może po prostu wtedy taki mi się wydawał. Jednak nawet jak na dowódcę dywizji jest już leciwy.

Zatrzymują jeepa i generał wysyła syna, by ten dowiedział się, co się dzieje, dlaczego te kobiety uciekają z posterunku. W tej samej chwili obydwaj szeregowcy, którzy powinni stać na warcie, wyskakują z piwnicy. Są wprawdzie ubrani, ale nie mają na głowach hełmów ani karabinów w rękach. Innymi słowy, według wojskowych standardów są ubrani jedynie do połowy. Nie są może nadzy, ale na pewno nie wyglądają tak, jak powinni wyglądać żołnierze.

Kurczę, cóż za okazja na sąd polowy! Tu konieczna będzie mała dygresja. Właśnie wtedy pojawiły się ostrzeżenia przed „fraternizacją" – wówczas słowo to rozumiano jako bliskie kontakty z Niemkami. Jeszcze w Anglii puszczano nam filmy, na których niemieckie *fraulein* tańczyły w rytm akordeonowej muzyki w długich spódnicach i obcisłych bluzeczkach podkreślających obfite biusty. Później te same dziewczyny wbijały żołnierzom noże w plecy albo przekazywały wykradzione informacje czy wsypywały naszym chłopcom truciznę do kawy czy piwa. Było to okropne, prawie tak beznadziejne jak filmy o chorobach wenerycznych, które puszczano nam w czasie szkolenia w Ameryce. Śmialiśmy się wtedy i oficer zawsze wyłączał projektor i darł się na nas.

Podobne wypadki na pewno się zdarzają, ale nasz problem polega na tym, że dowództwo szuka przykładowego przypadku „fraternizacji", żeby zorganizować pokazowy sąd polowy i postraszyć wszystkich. Wygląda na to, że znaleźli to, czego szukali, na razie wydaje się jednak, że wolą spojrzeć na wszystko przez palce. Kiedy ci dwaj idioci wracają do obozu, robię im cholerną awanturę. Mówię, że zachowują się tak samo obrzydliwie jak Rosjanie. Naprawdę tak wtedy sądziłem.

W końcu zostajemy jednak wszyscy wezwani, a zatem naprawdę szykuje się przedstawienie. Cała sprawa jest śmieszna, ale dowództwu zależy na ograniczeniu kontaktów naszych żołnierzy z Niemkami i szukają jednoznacznego przypadku. No cóż, wygląda na to, że udało im się go znaleźć.

Wszyscy trzej zostajemy sprowadzeni do dowództwa i postawieni pod strażą. Nie możemy się stąd ruszyć. Mamy zakaz opuszczania koszar. To niezbyt interesujący pomysł, jako że koszary oznaczają w tym wypadku wilgotną piwnicę.

Zbiera się doraźny sąd polowy, a my zostajemy doprowadzeni na posiedzenie. Przysyłają prawnika, który ma nas bronić. Jest zaledwie porucznikiem i śmiertelnie boi się generała Colliera. Major Collier, syn generała, będzie świadkiem i jednocześnie kimś w rodzaju oskarżyciela. Jestem jeszcze zbyt młody i nieświadomy niebezpieczeństwa, by przejmować się sądem polowym. Nie wiem, co tak naprawdę się tu dzieje. Dochodzimy do wniosku, że nie chcemy, by bronił nas ten porucznik, który może tylko narobić więcej szkód niż pożytku, więc nic mu nie mówimy.

Opracowujemy jednak pewien plan. Góra decyduje, że ja jako kapral i dowódca warty nie stanę przed sądem. Widziałem wszystko, więc będę świadkiem.

Nasz plan jest następujący. Zeznamy, że byłem na posterunku godzinę wcześniej i nie było tam wtedy żadnych kobiet. W piwnicy było bardzo gorąco i dlatego wartownicy zdjęli hełmy i kurtki. Przyszedłem tam po raz drugi i pilnowałem drzwi do piwnicy, podczas gdy oni dwaj zeszli na dół, aby przeprowadzić inspekcję posterunku. Bardzo to wszystko śliskie, ale obmyśliliśmy kilka sztuczek. Wiemy, że major nie jest szczególnie inteligentny.

W składzie sądu polowego znajduje się jeden pułkownik, również wszyscy pozostali to wyżsi rangą oficerowie. Wybrano stosunkowo dobrze zachowany budynek, wysprzątano go i ma teraz posłużyć za salę sądową. Pierwszy zeznaje major Collier, który prostymi słowami opowiada, co widział, stara się przedstawić wszystko dokładnie tak, jak było. Pułkownik, który jest przewodniczącym składu sędziowskiego, wzywa naszego porucznika, a on robi dokładnie to, czego się po nim spodziewaliśmy. Powtarza prawie słowo w słowo to, co powiedział major Collier, zgadzając się z nim, choć sam niczego przecież nie widział. Jednocześnie próbuje nas tłumaczyć, powtarza, że należy „pamiętać, przez co przeszli ci ludzie" i tak dalej.

Teraz ja zostaję wezwany na świadka. Nie jest to zwyczajny cywilny proces, major Collier i ja jesteśmy jedynymi świadkami. Pytam, czy wolno mi zadać kilka pytań majorowi Collierowi. Pułkownik kiwa potakująco głową. Najpierw pytam o bramę zamykającą wjazd na pusty dziedziniec tartaku.

– Panie majorze, czy brama była otwarta, zamknięta czy uchylona, kiedy zjawił się pan na miejscu?

– Była otwarta na całą szerokość – odpowiada.

– Nie było tam żadnej bramy – mówię, bo taka jest prawda.

Udaje mi się doprowadzić do tego, że przyznaje, iż prawie nie widział wspomnianych kobiet. Opowiadam więc, że była to matka z małą córeczką, które szukały drewna na opał, a wartownicy przegonili je właśnie, kiedy nadjechał generał.

Cały skład sędziowski jest przeciwko majorowi Collierowi z powodu jego ojca. Po kilku podobnych pytaniach staje się oczywiste, że Collier tak naprawdę nie widział nic i major jest teraz zupełnie ogłupiały. Pułkownik stojący na czele składu sędziowskiego podniósł się, ze skrzypnięciem odsuwając krzesło.

– Wydaje mi się, panowie sędziowie, że materiał dowodowy przedłożony temu sądowi polowemu jest niedostateczny i nie został zebrany w należyty sposób.

Spogląda na wszystkich oficerów, którzy kiwają głowami. A następnie wszyscy zostajemy zwolnieni, ot tak, po prostu.

Biedny major, który już miał nadzieję, że dochrapie się stopnia pułkownika, przeliczył się wyraźnie, a nasi chłopcy zostali uniewinnieni. Wychodzimy z sądu i urządzamy sobie wielkie przyjęcie składające się z racji żywnościowych. Ale nieszczęście było już bardzo blisko.

20

Rolin Clairmont

Kiedy wróciłem do kompanii K, zostałem przydzielony jako zwiadowca do drugiego plutonu, prawdopodobnie dlatego, że poprzednio służyłem w zwiadzie i rozpoznaniu. Dzielę ten przydział z drugim nowym żołnierzem, Rolinem Clairmontem. Ponieważ obydwaj jesteśmy nowi, dzielimy też namiot, oczywiście jeśli kiedykolwiek uda nam się spać w namiocie, a nie w wilgotnym okopie.

Zaprzyjaźniamy się ze sobą. Rolin jest wysoki, ma co najmniej metr dziewięćdziesiąt, pochodzi z Bordertown w stanie Nowy Jork. Razem z ojcem był przewodnikiem myśliwych, którzy przyjeżdżali na polowania do północnej części stanów Nowy Jork i Maine. Najczęściej na miejsce polowania docierali samolotem. Rolin mieszka wraz z ojcem w domu nad jeziorem, mają hydroplan z pontonami. Nigdy nie usłyszałem choćby słowa o jego matce. Rolin już jako trzynasto-, czternastolatek pilotował nielegalnie samolot, wie też bardzo dużo o strzelaniu i polowaniu.

Dobrze się z nim mieszka w namiocie, to jest w okopie. Pochodzi wprawdzie ze stanu Nowy Jork, ale, jak się okazuje, jest bardziej Południowcem niż większość żołnierzy pochodzących z Południa. Ma doświadczenie w obchodzeniu się z bronią, polował na najróżniejszą zwierzynę, od jeleni i niedźwiedzi do wiewiórek i zajęcy. Potrafi też wybudować szałas.

Co ciekawe, potrafi też mówić po francusku – jak sam twierdzi, jest to kanadyjska odmiana francuskiego. Na terenach, na których się właśnie znaleźliśmy, większość cywilów mówi po francusku albo po niemiecku, ale na ogół w obu tych językach. Nie wkroczyliśmy jeszcze zbyt głęboko na terytorium Niemiec, wciąż jesteśmy na pograniczu, na ziemi niczyjej.

Pogranicza, przynajmniej w Europie, mają jedną ciekawą cechę wspólną. W porównaniu z resztą kraju wydają się zawsze bardziej zaniedbane, zniszczone, jak gdyby w pobliżu granicy nikomu się już nie chciało pracować. Właśnie w takie okolice trafiliśmy. Teraz, kiedy przeszła tędy wojenna zawierucha, wygląda to jeszcze gorzej niż zwykle.

Kiedy zostajemy przeniesieni do kompanii K, jest ona kompanią rezerwową, ale już po dwóch dniach przerzucają nas do Neuendorf, gdzie mamy zastąpić kompanię L. Zgodnie z tym, co mówią żołnierze, walki były średnio ciężkie, wracają już jednak na tyły i oczywiście wyolbrzymiają wszystko. Mówią nam: „będziecie żałować”, „pożegnajcie się już lepiej ze światem” i podobne w takich sytuacjach gadki.

Docieramy na miejsce po północy, potykamy się więc i ślizgamy, wpadamy do wykopanych już, pełnych błota okopów. Mamy po dwie godziny warty i cztery godziny odpoczynku, ale trudno o prawdziwy odpoczynek, kiedy siedzi się w dziurze wykopanej pod ścianą. Trzeba jednak przyznać, że w porównaniu z okopem, w którym stoimy na warcie razem z Rolinem, dziura pod ścianą wydaje się prawdziwym luksusem. Nasz posterunek wysunięty jest najdalej, to jest najbliżej Niemców, od dziury pod ścianą dzieli go około stu jardów.

Wymieniamy się trzy, może cztery razy i nic się nie dzieje. Nigdy nie potrafię stwierdzić, na jakiej podstawie wojsko podejmuje decyzję o rozpoczęciu ataku. Na nasze szczęście w tej części świata, w której się znaleźliśmy, ani nie atakujemy, ani się nie wycofujemy. Myślę, że albo czekamy na posiłki, albo na to, aż ktoś w końcu podejmie decyzję.

Nagle ruszamy do ataku, w chwilę później zatrzymujemy się i znowu czekamy. Dziwne. Później wszystko się zmieni, ale na razie dzieje się to właśnie w ten sposób. Zajmujemy skrawek terytorium, umacniamy się, zajmujemy następny kawałek i znowu się na nim umacniamy.

Tkwimy razem z Rolinem w okopie. Posterunek położony jest w bardzo ładnym miejscu, na skraju lasu z widokiem na stok wzgórza schodzącego ku długiej dolince, przez którą płynie strumień. Po jego drugiej stronie wznosi się wzgórze, również porośnięte lasem. Dzieli nas od niego około czterystu, pięciuset jardów. Wiemy, że w tym lesie siedzą Niemcy, nie wiemy jednak, gdzie dokładnie. Staramy się nie spuszczać lasu z oka, ale szkopy nie zamierzają zdradzać swoich pozycji, my zresztą też nie mamy takiego zamiaru. Zakładamy po prostu, że Niemcy wiedzą, gdzie jesteśmy, i robią to samo co my.

Zawsze jednak zachowujemy ostrożność, nie wychylamy głów z okopu i staramy się czynić jak najmniej hałasu. Posterunek jest tak położony, że można bezpiecznie przeprowadzić zmianę warty; przez całą drogę osłania nas las, a później pozostaje już tylko kawałek drogi w dół. Prawdopodobnie właśnie dlatego tutaj go umieszczono.

Prawie zawsze zmiana wart przeprowadzana jest w milczeniu, chyba że wydarzyło się coś naprawdę bardzo ważnego. Później siedzimy przez chwilę nieruchomo, aby się przekonać, czy Niemcy zauważyli zmianę, przypomina to trochę zabawę w chowanego.

Rolin i ja siedzimy na warcie, jest dzień, więc warta trwa cztery godziny. Warty nocne skrócono do dwóch godzin. Ku naszemu ogromnemu zaskoczeniu tuż przed naszym stanowiskiem przechodzi dwóch niemieckich żołnierzy. Zgubili się albo zwariowali. Wychodzą z lasu po drugiej stronie doliny i schodzą w dół. Idą spacerkiem wzdłuż strumienia z karabinami zarzuconymi na ramię, jak gdyby wokół nie toczyła się żadna wojna. Obydwaj natychmiast podrywamy i odbezpieczamy karabiny.

Teraz będę mógł zobaczyć, jak łowieckie talenty Rolina sprawdzą się w prawdziwej walce. Może to zabrzmi strasznie, ale na wojnie nikt nie chce podejmować niepotrzebnego ryzyka. Właściwe w stanie wojny zachowanie wymaga, byśmy zastrzelili tych dwóch facetów i schowali się, mając nadzieję, że nikt nas nie zauważył.

Jest to okropne, ale nic na to nie możemy poradzić. Żaden z nas nie ma zamiaru wstać i krzyknąć: „Poddajcie się. Mamy was na muszce!” czy coś podobnego. Nie zamierzamy też zbiec po stoku i rzucić się za nimi w pościg. Zamierzamy strzelić do nich i schować się tak szybko, jak tylko się da. Nie możemy też tak po prostu pozwolić im odejść, w końcu to nasi wrogowie. Wojna jest bardzo dziwna. Przecież zachowalibyśmy się zupełnie normalne, gdybyśmy pozwolili im odejść, zostawili ich w spokoju. Nie robią nikomu krzywdy, popełnili po prostu błąd, jaki ja sam mógłbym z łatwością popełnić, aż nazbyt łatwo zdarza mi się gubić drogę.

Nagle zauważam, że Niemcy powoli się do nas zbliżają. Schodzą do strumienia i po kamieniach przechodzą na drugą stronę. Naprawdę musieli się zgubić. Idą wolnym krokiem, karabiny trzymają na ramionach. Są coraz bliżej nas.

Myślę sobie: „Kurczę, ten Clairmont to prawdziwy myśliwy, nigdy nie strzela, dopóki nie jest na sto procent pewien, że trafi". Rolin patrzy na mnie, a ja na niego. Widzę, że jest coraz bardziej zdenerwowany, ja zresztą też. Przysiągłbym, że Niemcy są w tej chwili pięćdziesiąt jardów od nas, dobiegają nas już ich słowa.

Rolin odwraca się do mnie.

– Czy mógłbyś wydać rozkaz, żebym strzelał? – pyta szeptem.

Zachowuje się tak, jak gdyby był na strzelnicy – wtedy strzelał po raz ostatni, a na strzelnicy nie wolno strzelać bez rozkazu.

– Na miłość boską, strzelaj, Rolin!

Mierzy do idącego z przodu, a ja do drugiego. Stanowią taki łatwy cel, że niepotrzebnie oddajemy po dwa strzały, jedna kula by wystarczyła. Obydwaj padają i nieruchomieją. Chowamy się w okopie i czekamy, co się teraz stanie. Podejrzewam, że na drugim stoku nikogo nie ma, gdyby ktoś tam był, krzyknąłby przecież przynajmniej do tych dwóch: „Wynoście się stamtąd, palanty!”

No cóż, do dzisiaj nie wiem, dlaczego stało się to, co się stało. Pamiętam tylko opanowanie Clairmonta, który czekał na rozkaz strzelania. Była to zapowiedź tego, co miało dopiero nadejść.

21

Fantastyczny lot

Rolin i ja zostajemy dobrymi przyjaciółmi. On ma świra na punkcie szachów i nosi ze sobą małą składaną szachownicę. Dogadujemy się znakomicie i, wyjąwszy śmierdzące nogi i wzrost Rolina, nie mógłbym marzyć o lepszym sąsiedzie. W ciągu kilku dni, kiedy pozostajemy w rezerwie, udaje mi się oberwać jeszcze raz odłamkiem szrapnela w ramię. Rana jest dostatecznie poważna, bym musiał trafić do szpitala polowego, gdzie lekarze usuwają odłamek i zakładają kilka szwów. W tamtych dniach szrapnele latały jak osy latem.

Hołubię moją ranę tak długo, jak tylko mogę, żeby nie wracać na front. Dostaję drugie Purpurowe Serce. Pojawiają się pierwsze plotki o punktowym systemie zwolnień, który ma wejść w życie po wojnie. Moje Purpurowe Serce jest warte pięć punktów.

Wracam do oddziału, okazuje się, że znowu brali udział w bardzo ciężkich walkach. Szczególnie ciężko było w miejscu, które nazywają „skrzyżowaniem". Czuję się tak, jak gdyby wszyscy wokół mnie mówili o jakimś filmie, którego nie widziałem. Żołnierze często nadają bitwom i miejscom, gdzie się odbyły, własne nazwy. Pewien jestem, że w wojskowych archiwach każda taka bitwa ma zupełnie inną nazwę, dla nas jednak stanowi jakby prywatną własność. Kiedy ktoś oberwie albo zginie, mówimy później, że „dostał na skrzyżowaniu", czy jakkolwiek nazywalibyśmy akurat to miejsce.

Lądując w szpitalu, przegapiłem „bitwę o skrzyżowanie". Ponieśliśmy w niej bardzo duże straty, a Rolin jest urodzonym przywódcą, więc kiedy wracam, on jest już dowódcą drużyny. Został awansowany do stopnia plutonowego. Chce, bym został jego zastępcą i udaje mu się to załatwić. Powinno dać to niejakie pojęcie o tym, jak szybko można awansować, kiedy toczą się naprawdę ciężkie walki. Dowódca drużyny i jego zastępca nie powinni w zasadzie spać w tym samym namiocie czy okopie, ale nic nas to nie obchodzi.

Dla Rolina wojna jest swego rodzaju grą, połączeniem szachów i rosyjskiej ruletki. Podoba mu się. Ja oczywiście ciągle jestem śmiertelnie przerażony. Łączy nas swego rodzaju symbioza, on gra bohatera wojennego, a ja jestem jego wierną widownią. Zaczynamy wspólnie chodzić na patrole, tylko my dwaj, tego również nie powinniśmy robić. Rolin zgłasza nas jednak na ochotnika do wszystkich najbardziej niebezpiecznych zadań, a ja ulegam jego sile perswazji. Właśnie w ten sposób wpakowałem się w drugą co do śmieszności wojenną przygodę. I ponownie pewną rolę odegrał w niej mały samolot. Historia mojego życia składa się z samych powtórek.

Idziemy na patrol, naszym zadaniem jest odnalezienie samolotu rozpoznawczego typu L4, tego samego typu jak ten, z którego zostałem wyrzucony na początku mojej wojny, strąconego na naszym terenie.

Rolin jest teraz jednocześnie wywiadowcą i dowódcą drużyny. Znajdujemy się na terenie, na który spadło wiele ton pocisków artyleryjskich, nakierowywanych przez małe Pipery, zwane samolotami rozpoznania artyleryjskiego L4. Niemcy wciąż usiłują je strącać, ale jest to zadanie o wiele trudniejsze, niż mogło by się to wydawać, i udaje im się to niezwykle rzadko. Tym razem jednak im się powiodło, a Rolin przysięga, że widział, gdzie spadł nasz samolocik. My z piechoty nie jesteśmy szczególnie zachwyceni tym, że podobne maszyny latają nam nad głowami, ponieważ Niemcy mają przez to pojęcie o naszych pozycjach, a odłamki pocisków przeciwlotniczych nie różnią się niczym od odłamków szrapneli.

Nasz patrol, jak wymyślił Rolin, ma na celu zlokalizowanie wraku. Rolin jest przekonany, że samolot został zestrzelony nad swego rodzaju ziemią niczyją pomiędzy zygzakowatymi liniami frontu. Wszystko jest takie płynne.

Mamy początek wiosny. Rolin jest podekscytowany. Jak zwykle posuwamy się zakosami i jak zwykle jestem potwornie przerażony. Mniej więcej co dziesięć minut próbuję ustalić naszą pozycją za pomocą kompasu, tak byśmy mogli wrócić.

– Nie musisz tego robić, Will. Wiem, jak wrócić. Nie zapominaj, że zabierałem myśliwych do prawdziwych lasów w Nowym Jorku i Maine. Ja po prostu wiem, gdzie jesteśmy.

– Zgoda, tylko czy wiesz, dokąd idziemy? Przypomnij sobie tych dwóch szkopów, których zdmuchnęliśmy, po prostu łazili sobie po okolicy. Nam też może przydarzyć się coś podobnego.

Jakieś pięć minut później stajemy na skraju lasu i rzeczywiście widzimy poszukiwanego L4. Siedzimy przez pół godziny, próbując ustalić, czy nikogo nie ma w pobliżu, facetów z samolotu albo fryców, ale nikogo nie widzimy.

– Do diabła, nudzi mnie to siedzenie, Will. Osłaniaj mnie.

I po tych słowach znika z karabinem w dłoni, idzie w stronę samolotu. Mam zwyczajnego M1, mój stary karabin z odpiłowanym zaczepem spustowym straciłem w czasie podróży do szpitala. Rozglądam się wokoło z bronią gotową do strzału.

Schodzi do samolotu, odwraca się i macha rękami, wzywając mnie do siebie. Ruszam ostrożnie w jego stronę, spodziewając się, że w każdej chwili ktoś może do mnie strzelić. Wielki Boże, dlaczego pakuję się w takie tarapaty?

Rolin jest bardzo podekscytowany. Kiedy docieram na miejsce, siedzi już za sterami. Chce, bym popchnął śmigło, żeby silnik zaskoczył. Nigdy tego nie robiłem, Rolin wyskakuje więc z samolotu i kilka razy pokazuje, jak należy to robić. Trzeba ciągnąć oburącz, zgodnie z kierunkiem wskazówek zegara, a potem odskoczyć na bok. Robię, co mi kazał, ale nic się nie dzieje. Rolin uśmiecha się i ponownie wyskakuje z samolotu.

– Nie ma paliwa. Czy to możliwe, że ci idioci musieli lądować tylko dlatego, że zapomnieli zatankować do pełna? – Zagląda do samolotu i znajduje w środku dwa szwabskie kanistry z wysokooktanową benzyną. Podaje mi je. – Założę się, że jakiś fartowny szwab wpakował im kulę w zbiornik, albo w tych chmurkach, które puszczają z działek przeciwlotniczych, naprawdę są jakieś pociski. Najprawdopodobniej w zbiorniku jest dziura, przez którą wyciekła benzyna. Kurczę, ci chłopcy musieli się pewnie posrać ze strachu. Nie widzę śladów krwi w kabinie pilota, więc albo udało im się jakoś wrócić, albo szwaby wzięły ich do niewoli. – Mówi to wszystko, uważnie oglądając spód samolotu. W końcu wsadza palec w dziurę w poszyciu. – Proszę bardzo. Mieli chłopcy szczęście, że benzyna się nie zapaliła i nie wybuchła pod nimi.

– Zmywajmy się stąd, Rolin. Niemcy mogli postawić kogoś do pilnowania tego samolotu. Musieli przecież zobaczyć, że się zbliżamy.

– Chcesz zostawić wrogowi zupełnie dobry samolot z powodu jakiejś śmiesznej dziurki? Zobaczymy, może uda nam się poderwać tę dziecinę.

Zdążył już wleźć z powrotem do środka i wali kluczem francuskim w zbiornik paliwa. Każe mi podetknąć z drugiej strony kolbę karabinu. W pięć minut zaklepuje dziurę na gładko.

– Mamy fart, paliwo wyhamowało tę kulę czy odłamek, tak że powstała tylko jedna dziura. Poczekaj chwilę. – Zaczyna przeszukiwać kieszenie munduru, w jednej z nich znajduje dwa listki gumy do żucia, wsadza sobie jeden do ust, a drugi daje mnie. – Przysłał mi to mój dziesięcioletni brat – mówi. – Dobrze wie, że bardzo lubię żuć gumę. Kurczę, na pewno spodobałoby mu się to, co zamierzam z nią zrobić. – Przeżutą gumę wtyka ciasno w pozostałą dziurę i ugniata ją z obu stron. – Mam nadzieję, że guma nie rozpuszcza się w benzynie, zresztą to bez znaczenia, nie zamierzamy lecieć daleko.

Napełniamy więc baki paliwem ze szkopskich

kanistrów i Rolin zasiada za sterami. Po pięciu, może sześciu próbach silnik zaskakuje. Rolin każe mi wskakiwać do samolotu.

– Wsiadaj, Will, pobawimy się trochę.

Dotychczas latałem tylko trzy razy, wliczając w to skoki spadochronowe w Fort Benning i podróż przez kanał La Manche. Wsiadam jednak do środka, jestem jak zahipnotyzowany.

Rolin podprowadza samolot pod górkę na skraj lasu, odwraca go, dociska manetkę gazu i rusza w dół z pełną prędkością. Kulę się, spodziewając się, że za chwilę się rozbijemy. Wyobraźcie sobie tylko: żołnierz piechoty ginie na środku pola w katastrofie samolotowej. Nie mogę wręcz myśleć. Rolin śmieje się w głos. Skraj pola porośnięty jest drzewami. Przelatuje nad nimi na wysokości zaledwie dwóch stóp. Zaczyna kiwać skrzydłami dla zabawy.

– Przestań, Rol, przestań, bo za chwilę zarzygam ci cały samolot.

Kierujemy się ku niemieckim liniom, bo w takim kierunku biegnie zbocze, z którego startowaliśmy.

– Rol, lecisz w złym kierunku. Zawracaj.

– Jeszcze nie mogę. Mamy zły wiatr.

W tej samej chwili zaczynają wokół nas wybuchać pociski z działek przeciwlotniczych. Wydaje mi się, że to osiemdziesiątki ósemki. Kulę się, a Rolin uśmiecha się tylko i podciąga samolot coraz wyżej. Nagle właściwie przewraca go na grzbiet w zwrocie, który rzuca mną o drzwiczki, i teraz kierujemy się w stronę, z której przylecieliśmy. Ogień działek przeciwlotniczych słabnie. Wracam na moje miejsce na podłodze.

– To jeszcze nie koniec, Will, chyba że potrafisz obsługiwać to radio. Za chwilę zaczną do nas strzelać nasi chłopcy.

Sięgam do gałek radia i zaczynam nimi kręcić, ale niczego nie słyszę, przypomina to upiorny, powracający koszmar. Krzyczę w mikrofon w nadziei, że ktoś mnie przynajmniej słyszy. Lampka kontrolna przecież się pali. Jednak kiedy nadlatujemy nad nasze linie, jeszcze więcej pocisków wybucha obok nas i o kadłub uderzają odłamki.

– Podciągnij wyżej, Rol, nie możesz lecieć wyżej?

Prawie ocieramy się o wierzchołki drzew.

– Oczywiście, że mogę, ale gdybyśmy lecieli wyżej, te palanty z siedemdziesiątkami piątkami miałyby o wiele łatwiejszy cel. Kiedy lecimy nisko, nie mają czasu, by w nas celować.

Suniemy zatem tuż nad czubkami drzew i szczytami wzgórz i po około pięciu minutach ogień cichnie. Rol nadal jednak utrzymuje maszynę na wysokości słupów telegraficznych. Jest skupiony.

– Próbuj dalej uruchomić radio, Will. Musimy jakoś dać naszym znać, że to my, bo jeszcze pomyślą, że to szkopy w L4. Kontroluj też, proszę, wskaźnik paliwa, bo ja muszę patrzeć przed siebie.

Patrzę, zbiornik jest mniej więcej do połowy wypełniony. Przelatujemy więc nad lasami i polami, obserwując oddziały posuwające się naprzód, obozujące lub rozbiegające się w popłochu, kiedy nad nimi przelatujemy. Rolin nie potrafi się powstrzymać od machania skrzydłami, zwłaszcza do czołgów, wydaje mi się, że to taki jego sposób zadzierania nosa. Wbijam wzrok we wskaźnik poziomu paliwa i patrzę, jak wskazówka wychyla się coraz bardziej w lewo. Zastanawiam się, o czym myśli teraz Rolin.

– Will, jeśli uda mi się dociągnąć tego grata dostatecznie daleko, pewnie nie będzie się już nikomu chciało odsyłać nas z powrotem na front do naszego oddziału. Na pewno będzie fajnie. Myślę, że teraz, kiedy spojrzałem na wojnę z pewnej wysokości, wiem o niej dużo więcej, Will. Jeśli zechcesz, może uda ci się tutaj zostać. Ja postaram się wrócić tam, gdzie coś się dzieje.

Od tego oświadczenia nie mija nawet pół godziny, kiedy silnik zaczyna się krztusić i samolot traci wysokość.

– Rozglądaj się za jakąś łąką, Will, a przynajmniej zaoranym polem, gdzie moglibyśmy posadzić ten samolocik. Po drodze widziałem dwa małe lotniska, ale nie sądzę, by udało nam się tam wrócić.

Silnik pokasłuje coraz wyraźniej, gubi rytm, a samolot opada coraz niżej. W ostatniej chwili nadlatujemy nad pole czegoś, co wygląda jak pszenica. Jest płaskie i powinno być dostatecznie duże. Rolin ustawia samolot, a ja zaciskam ręce na tablicy rozdzielczej i wbijam stopy w podłogę.

Tuż przed tym, zanim koła dotkną ziemi, Rolin podciąga nos samolotu do góry tak, że maszyna opada na ziemię z silnym wstrząsem. Jestem tak bardzo podniecony, że zaczynam bić brawo.

– Powinieneś zobaczyć, jak lądowałem na jeziorach niewiele większych od kałuży. Najtrudniejszy jest zawsze start.

Wyłazimy z samolotu otoczeni przez dwudziestu facetów w cudzoziemskich mundurach z karabinami gotowymi do strzału. Przychodzi mi na myśl, że jednak polecieliśmy w niewłaściwym kierunku.

Opieramy nasze karabiny o kadłub samolotu i podnosimy ręce do góry. Nie rozumiem ani słowa z tego, co wykrzykują do nas ci żołnierze. Rolin zaczyna jednak coś odkrzykiwać, wtedy oni zbliżają się i przestają krzyczeć. Zaczynają gadać z Rolinem, który uśmiecha się radośnie. Okazuje się, że wylądowaliśmy w samym środku bazy zaopatrzenia oddziału Kanadyjczyków z Quebecu.

Rolin wyjaśnia wszystko i żołnierze zaczynają mówić do mnie po angielsku, przeplatając go francuskim, ale jakoś rozumiem.

Prowadzą nas do namiotu dowódcy. Nie potrafię rozpoznać dystynkcji, ale oceniam, że jest wyższym oficerem. Wszyscy zwracają się do Rolina, nagle najważniejszy oficer mówi do mnie:

– Czy to prawda, że znaleźliście ten samolot w szczerym polu, naprawiliście go i przylecieliście aż tutaj?

– Zgadza się, sir.

– A gdzie jest teraz wasz oddział?

– Gdzieś tam, sir. Jesteśmy z piechoty. Lecieliśmy tak długo, aż byliśmy pewni, że wylądujemy na naszym terytorium.

Wybucha śmiechem, pozostali też się śmieją.

– Prawie udało wam się dolecieć do Anglii. Gdzie nauczyłeś się tak latać, stary? Co waszym zdaniem powinniśmy teraz z wami zrobić?

Odzywam się, zanim Rolin zdążył cokolwiek powiedzieć.

– Moglibyśmy dołączyć do was, poinformujcie tylko nasz oddział przez radio, żeby nie pomyśleli, że zdezerterowaliśmy, albo nie uznali nas za zaginionych w akcji. Mam już dosyć piechoty.

Wyczuwam, że nie zostało to najlepiej przyjęte. Przez chwilę rozmawiają cicho po francusku. Przez uchyloną klapę namiotu widzę tłum żołnierzy.

– Plutonowy Clairmont prosi, by tak szybko jak to możliwe odtransportować go z powrotem do jednostki – mówi w końcu oficer. – Obawiam się, że tak właśnie musimy postąpić. Nie możecie tutaj zostać.

I w ten sposób dzięki Rolinowi i jego kretyńskiej bohaterszczyźnie wracamy do jednostki. Jestem zaskoczony tym, jak daleko udało się nam zalecieć. Przez prawie tydzień tłuczemy się w konwojach ciężarówek po zatłoczonych drogach. Wciąż nie opuszcza mnie wspomnienie, z jaką łatwością lecieliśmy tą samą trasą, tylko we właściwym kierunku. Najpierw dobiega nas huk dział, później cichszy odgłos wystrzałów artylerii przeciwlotniczej i przeciwczołgowej, łoskot moździerzy i w końcu gwizd kul karabinowych. Jesteśmy w domu! Po następnych dwóch dniach trafiamy z powrotem do kompanii K. Wszystko na nic.

Kiedy wracamy, okazuje się, że do naszych rodzin wysłano telegramy informujące o zaginięciu podczas akcji. Tak szybko, jak tylko było to możliwe, wysłano następne, wyjaśniające całą sprawę, ale jestem pewien, że nie dotarły one na miejsce dostatecznie szybko, by oszczędzić moim rodzicom zmartwienia. Później dowiedziałem się, że telegramy przyszły jeden po drugim w odstępie jednego dnia, przy czym wyjaśnienie przyszło pierwsze. Na pewno było to bardzo niepokojące i niezbyt przekonujące.

Rolin, żywo gestykulując, relacjonuje wszystkim naszą historię. W jego ustach brzmi to o wiele bardziej podniecająco, niż było naprawdę. Ja tylko słucham. Najbardziej zaskakujące jest to, że Rolin zostaje wezwany do dowództwa dywizji, gdzie wręczają mu Srebrną Gwiazdę za uratowanie samolotu.

22

Rolin Clairmont po raz drugi

Pomimo wszystkich wysiłków po krótkim czasie znów zostaję dowódcą drużyny. Właśnie wtedy obrywam po raz kolejny, niewielka rana tuż poniżej kolana, jednak dostatecznie poważna, by ponownie trafić do szpitala polowego. W nodze utkwił mi mały odłamek szrapnela, wyjmują go więc, zaszywają ranę i zakładają opatrunek. Dostaję następne Purpurowe Serce. Czuję się trochę jak uczeń, który ciągle przewraca się na szkolnym placu zabaw i odsyłany jest do zakonnicy, która polewa skaleczenie merkurochromem i wysyła go z powrotem na plac zabaw. Ludzie w szpitalu zaczynają mnie poznawać, po wyczynie z samolotem stałem się miejscową sławą.

Powinienem tu powiedzieć, że jeszcze przed przygodą z samolotem Rolin ciągle czytał Biblię. Był jej zapalonym czytelnikiem. Nie chciał o tym w ogóle mówić, ale w każdej wolnej chwili sięgał właśnie po Pismo Święte.

Po powrocie ze szpitala zauważam, że Biblii już nie ma. Rolin jest zupełnie innym człowiekiem, jak gdyby od odrobiny wojennej sławy coś w nim pękło. Zaczął pić, grać w karty na pieniądze, poszedł na całego. Znalazł się na najlepszej drodze do tego, by stać się klasycznym przypadkiem podoficera.

Nasza obecna sytuacja jest bardzo interesująca. Znowu posunęliśmy się nieco do przodu i atakujemy teraz linię Zygfryda. Niemieckie bunkry ustawione są tutaj w bardzo skomplikowany zygzak, otaczają miasto Reuth, które stanowi centrum dowodzenia tej części linii umocnień. One właśnie zatrzymały nas w marszu.

Nie wiem, na co czekamy, ale tymczasem Niemcy wzmacniają swoje pozycje. Ściągnęli nawet najnowocześniejsze tygrysy i przygotowują się do natarcia. Nasz S2 chce wiedzieć jak najwięcej o posunięciach Niemców, więc coraz dalej wysuwamy nasze pozycje. Kopiemy okop i siedzimy w nim przez cały dzień, czekamy do zmroku, żeby ruszyć naprzód i ponownie zabrać się do kopania. Po wojnie z łatwością znajdziemy pracę jako grabarze. Chyba nie jest to specjalnie zabawne.

Dotarcie na miejsce i zajęcie posterunku to nie lada wyprawa, wszyscy jesteśmy potwornie zmęczeni. Brakuje nam ludzi z powodu walk, które mnie na szczęście ominęły. Mamy cztery godziny warty i cztery godziny odpoczynku, a to znaczy, że niewiele śpimy. W normalnej sytuacji dowódca plutonu, Rolin, i kapral, czyli ja, nie powinniśmy razem stać na warcie, ale stan plutonu zmniejszył się o połowę, a od długich nocnych i dziennych wart wszyscy są kompletnie wyczerpani. Rolin, jak to zwykle on, ma wspaniały pomysł, proponuje, byśmy to my wzięli wartę od północy do czwartej rano, tę najgorszą, by inni mogli w tym czasie odpocząć.

Nie jestem wcale zachwycony z tego powodu. Trudno wytrzymać na takiej warcie. Rolin boi się jednak, że ktoś inny mógłby zasnąć i złapaliby go Niemcy, którzy ostatnio nasilili nocne patrole. Sytuacja robi się bardzo nieprzyjemna i niebezpieczna, wszyscy są podenerwowani, zwłaszcza ja.

Ruszamy zatem i docieramy na wyznaczone miejsce, orientując się według wykopanych wcześniej dziur. Dwaj żołnierze, których luzujemy, to kłębki nerwów; przysięgają, że wszędzie wokół roi się od Niemców, ale nie widzą ich w panujących ciemnościach. Przypominają mi się żołnierze, których spotkałem w czasie patrolu z Wilkinsem, który zginął wraz z innymi kolegami z drużyny, kiedy zostaliśmy pochwyceni w krzyżowy ogień.

Księżyc prawie nie wypływa zza chmur. Coś widać, ale naprawdę niewiele. To teren rolniczy, otwarte pola, lasy, rozciągające się przez półtora kilometra. Taka odległość dzieli dwa miasteczka: Reuth, gdzie siedzą jeszcze Niemcy, i zdobyte już przez nas Neuendorf. Oba są przy tym obrócone w gruzy.

Nasz pluton siedzi w zadymionej śmierdzącej piwnicy w samym środku tego gruzowiska, może właśnie dlatego Rolin tak rwie się na patrole, żeby choć przez chwilę odetchnąć świeżym powietrzem.

Docieramy do stanowiska i podczas gdy jeden obserwuje okolicę, drugi siedzi w dziurze i medytuje o życiu i śmierci, czy o czym tam sobie chce. Siedzimy skuleni, w okopie nie ma zbyt wiele miejsca, a my nie mamy za bardzo o czym gadać.

W okopie jest nawet półka, ten, kto go wykopał, odwalił kawał porządnej roboty. Można oprzeć o nią karabin, oczywiście jeśli należy się do tych lekkomyślnych facetów, którzy w ogóle wychylają głowę z okopu. Jeśli ziemia usypana jest jak należy, ma się niezły widok na linię ognia i całkiem skuteczną osłonę.

Jestem już wprawdzie kapralem, ale podczas tego patrolu dźwigam, ciężki karabin maszynowy browning. Wolę mieć do dyspozycji większą siłę rażenia, na wypadek gdyby sprawy potoczyły się tak źle, jak się tego spodziewam. Nie mamy nikogo do pomocy, więc muszę nieść również zapasową amunicję. Wziąłem też ładownicę z trzydziestoma nabojami, normalnie niósłby to wszystko pomocnik, uzbrojony w karabin M1.

Ustawiam browninga na półce na specjalnym trójnogu. Często się tak robi, aby wygodniej było strzelać seriami. Wystarczy tylko nacisnąć spust i mocno trzymać karabin.

Siedzę w okopie i nagle w polu widzenia pojawia się niemiecki patrol. Widzę, jak posuwają się naprzód, osłaniając się nawzajem. Wyraźnie nie mają pojęcia, że tu jesteśmy. Szukają zaczepki albo chcą wziąć jeńca. Gdyby nie było Rolina, nic by mnie nie obchodzili, niech sobie patrzą, jeśli chcą. Sam bym się im pokazał. Nie mam nic przeciwko pójściu do niewoli. Jestem już zmęczony wojną, czuję, że kończy się mój fart. Problem polega na tym, że wcale nie tak łatwo oddać się do niewoli. Nigdy nie ma pewności, że po prostu mnie nie zastrzelą, bez zadawania niepotrzebnych pytań.

Trącam więc Rolina, wyrywam go z drzemki. Niektórzy potrafią zasnąć wszędzie. Rolin należy do takich ludzi, ja nie. Dostrzega zbliżający się ku nam patrol i tężeje. Nie jest to jednak strach – to napięcie myśliwego, kota, który widzi mysz. Od razu zaczyna wydawać polecenia.

– Załatwimy ich wszystkich. Jest ich ośmiu, dopadniemy wszystkich.

Pokazuje mi w milczeniu, gdzie są poszczególni Niemcy. Postanawia, że najpierw załatwimy dwóch ostatnich. Będzie to oznaczać, że pozostali będę mieli dłuższą drogę do swoich pozycji, kiedy zorientują się, że tu jesteśmy i mamy karabin maszynowy. Rolin naprawdę zachowuje się tak, jak gdyby był na polowaniu.

– Staraj się oszczędzać naboje, Will – mówi – i strzelaj pojedynczo. Załatwimy tych dwóch z tyłu. Jeśli musisz, możesz przełączyć na ogień ciągły, nie powinno zabraknąć amunicji, więc rób jak chcesz. Załatwię każdego, kto znajdzie się poza twoim zasięgiem.

Więc tak wygląda plan: Rolin zorganizował polowanie. Opieram się o półkę, a on daje mi sygnał, bym zaczął strzelać. Kolana mi się trzęsą. Odległość wynosi około dwustu jardów; na tym dystansie browning jest bardzo celny. Strzelam raz, trafiam i Niemiec pada. Obracam karabin, by strzelić do następnego, a broń nagle się zacina! Te karabiny są z tego znane.

Wiem, że przed nami stoi siedmiu facetów, którzy dobrze wiedzą, gdzie jesteśmy, próbuję więc odblokować broń. Pewnie biegną w naszym kierunku, a może uciekają, nie patrzę w ich stronę, za bardzo jestem zajęty. Wciskam magazynek i blokuję go, odciągam zamek, wykonuję po kolei wszystkie czynności, które należy wykonać w razie zablokowania karabinu. Próbuję pociągnąć za spust, ale nic się nie dzieje, sięgam więc do pasa po następny magazynek.

W tym samym czasie Rolin staje, opierając się nogami o ściany okopu, i strzela. Bum, pach, bum, bum. Ma w magazynku siedem pocisków. Strzela raz za razem, w regularnych odstępach, podczas gdy ja pocę się jak szaleniec nad tym cholernym browningiem. W pewnej chwili kończy mu się amunicja. Wyciąga następny magazynek, ale robi to bardzo powoli, na luzie.

– Pospiesz się, Rolin, uciekną albo nas tu dopadną! Biegną do nas, czy uciekają?

Rolin uśmiecha się w ciemnościach.

– Zaczęli uciekać, więc celowałem w tych, którzy biegli na przodzie, później zawrócili i próbowali nas zaatakować, wtedy waliłem w tych, którzy byli najbliżej. Myślę, że dorwałem wszystkich.

Wyglądam z okopu. Nie tracąc ani jednego naboju, położył ich wszystkich!!! Zimny dreszcz przelatuje mi po plecach.

Po obu stronach naszego okopu ciągną się dwa podobne. Mamy telefon, ale możemy uzyskać połączenie tylko ze stanowiskiem dowodzenia, z pozostałymi wartownikami nie mamy żadnego kontaktu. Faceci, którzy siedzą na warcie, nie krzyczą do nas, żeby nie zdradzać swoich pozycji. Na polecenie Rolina kręcę korbką telefonu i melduję, że mieliśmy patrol wroga.

– Zaraz przyjdziemy wam z pomocą, do tego czasu postarajcie się ich powstrzymać.

– Nie, nie ma po co, Clairmont załatwił już ich wszystkich.

Przełączają mnie na kapitana Walla, opowiadam więc i jemu, co się wydarzyło.

– Ilu Niemców było w tym patrolu?

– Ośmiu. Rolin rozwalił wszystkich, z wyjątkiem jednego, którego zdążyłem trafić, zanim zaciął mi się karabin.

– Jasna cholera. Wyjdźcie i sprawdźcie, czy rzeczywiście wszyscy nie żyją, weźcie jeńców, gdyby któryś jeszcze żył. Dowództwo pułku chce wiedzieć, kto zajmuje pozycje naprzeciwko nas. Dowiedzcie się tego, jeśli zdołacie. Jeśli wszyscy zginęli, zabierzcie im insygnia, będziemy przynajmniej wiedzieć, co to za jednostka.

Rolin zdążył już wybiec z okopu, bez żadnej osłony! Teraz już wiem, że zmienił się w prawdziwego najemnika. Wieszam słuchawkę i osłaniam go. Cisza. Nikt się nie rusza. Rolin przechodzi od jednego trupa do drugiego, przeszukuje kieszenie i ostrym bagnetem obcina insygnia. Kiedy wraca po około półgodzinie, ledwo go widzę w ciemnościach. Na jego twarzy gości szeroki uśmiech, ręce ma zakrwawione. Wygląda, jak gdyby właśnie skończył oprawiać jelenia, którego sam zastrzelił. Jak na fajnego faceta, ma najbardziej okrutny uśmiech, jaki w życiu widziałem. Z jednej kieszeni wyciąga zegarki, portfele, obrączki, które odebrał Niemcom. Wykopuje bagnetem dziurę na dnie okopu, wrzuca do niej swój łup i udeptuje starannie ziemię. W drugiej wypchanej kieszeni ma wszystkie insygnia i dwa pistolety. Karabiny zostawił.

– Wracam po resztę – mówi – siedź tutaj.

Zostawia mi swój jeszcze ciepły karabin.

Domyślam się, że Niemcy mogą wysłać jakiś patrol wsparcia i boję się śmiertelnie. Rolin wraca akurat na koniec naszej warty. Razem z nim przychodzi dwóch żołnierzy, którzy mają nas zluzować. Rolin wykopuje swój łup i wsadza do kieszeni razem z ziemią. Nie pozwala wskoczyć chłopakom do okopu, dopóki sam z niego nie wyjdzie.

Kiedy wracamy do jednostki, kapitan Wall domaga się ode mnie raportu, chce znać wszystkie szczegóły. Mówię mu więc, że sierżant Clairmont zastrzelił wszystkich Niemców, kiedy zaciął się mój karabin maszynowy.

– Jednym magazynkiem, panie kapitanie, siedem celnych strzałów. Moim zdaniem zasłużył co najmniej na Srebrną Gwiazdę.

Wiem, że kapitan chce tylko, bym potwierdził przebieg wydarzeń. Występuje o Srebrną Gwiazdę dla Rolina, ale ten nigdy jej nie dostaje. Myślę, że za mało czasu minęło od chwili, gdy otrzymał poprzednią. Jakiś porucznik dostałby ją pewnie za celne nasikanie do dziury.

Rolin jest jedynym znanym mi Amerykaninem, który staje się równie bezwzględny i okrutny jak ruscy żołnierze, pod pewnymi względami jest gorszy nawet od naszych Południowców. Nie zna strachu i cieszy się ze wszystkiego jak ci faceci w uszankach, śmieje się i pije wszystko, co mu dadzą, choć nie sądzę, by kiedykolwiek zgwałcił jakąś kobietę. Nie musi tego robić, ma zawsze w kieszeniach wystarczający zapas cukierków i papierosów. Nie jest chyba pozbawiony seksapilu, bo Niemki uganiają się wręcz za nim, a on wydaje się niestrudzony.

Nie ma w nim też ani odrobiny romantyzmu. W tamtych czasach, i jeszcze długo później, Niemki nie depilowały nóg, ubierały się fatalnie i często niezbyt przyjemnie pachniały. Rolin powiedział mi kiedyś, że do czasu przybycia do Niemiec nie miał żadnych doświadczeń seksualnych. Pewien jestem więc, że próbuje teraz nadrobić stracony czas, a może czuje, że wkrótce umrze.

W niemieckich miasteczkach, w których stacjonujemy, są też Polki, które wywieziono tu na przymusowe roboty. Są głodne, proszą nas o jedzenie i wszystko, co możemy im dać. Polki są przy tym równie głodne seksu jak Niemki. Zaczynam teraz podejrzewać, że to ze mną jest coś nie w porządku. Seks dla samego seksu nigdy mnie nie pociągał. Nie możemy nawet porozmawiać z tymi kobietami, znają wprawdzie odrobinę niemiecki, ale nie mówią ani słowa po angielsku. Dla prawie wszystkich z nas są to jednak jakby wakacje, zwłaszcza przez ten krótki okres, kiedy obsadzamy blokady na autostradach i niektórych mniej ważnych drogach. Daje to mnóstwo okazji do nawiązywania kontaktów.

Od każdego, kto nas mija, na ogół pieszo z bagażami, żądamy jakichś dokumentów. Jeśli ich nie mają, przekazujemy ich władzom wojskowym albo do Ośrodka Kontrwywiadu.

Opowieść o Rolinie Clairmoncie kończy się jednak następująco: Pojechał do domu na przepustkę podczas przerwy pomiędzy kampanią niemiecką i japońską, w czasie której zrzuciliśmy bombę atomową, Miał jednak prawdziwego pecha. Całą wojnę przetrwał bez jednego skaleczenia, mimo że podejmował wszelkiego rodzaju ryzyko. Po powrocie do domu wziął samolot ojca, przeleciał pod drutami telefonicznymi, rozbił się i wyszedł z katastrofy z dwudziestoma trzema szwami na głowie i wstrząśnieniem mózgu.

No cóż, to już powinno wystarczyć. Jestem pewien, że dla jakiegoś psychiatry stanowiłoby to materiał wystarczający do napisania pracy naukowej, która wyjaśniłaby, co Rolin próbował sobie udowodnić, bawiąc się w wojnę. Może psychiatrzy stwierdziliby, że brakowało mu wiary w siebie, ale moim zdaniem dla Rolina wojna była świetną zabawą. Sądzę, że należał do tych nielicznych ludzi, którzy przeżyli wojnę i przez cały ten potworny czas naprawdę znakomicie się bawili. Myślę też, że był bardzo rozczarowany, kiedy dowiedział się, że zrzuciliśmy bombę atomową. Kiedy w Fort Benning opowiadano nam o plażach na południe od Tokio, na których mielibyśmy lądować, widać było wyraźnie, że jest zawiedziony. Co cywilizowane społeczeństwo powinno robić z takimi ludźmi? Myślę, że należałoby zamykać ich w więzieniach albo w szpitalach psychiatrycznych.

23

Wielka kradzież klejnotów

Następne dwie opowieści dotyczą wydarzeń, w których brałem udział, a których w żaden sposób nie mogę usprawiedliwić. Z całą pewnością nie opowiadałem o nich moim dzieciom. Pierwsza przygoda wyniknęła z czystej chciwości, przyczyny drugiej były o wiele bardziej skomplikowane.

W końcu przełamaliśmy linię Zygfryda i ruszamy w ostatni marsz przez Niemcy. Przemieszczamy się teraz tak szybko, że w końcu każą nam wsiąść na ciężarówki. Zdarza się, że posuwamy się naprzód szybciej od czołgów. Kiedy wkraczamy do miast, na ogół zastajemy tam niemieckich cywilów, którzy nie mieli żadnej możliwości, by się ewakuować. Miasta te nigdy nie były bombardowane, nadal mieszkają w nich kobiety i dzieci.

Za każdym razem rozpoczynamy od „oczyszczenia" miasta. Oznacza to przeszukanie każdego domu od piwnicy po strych, żeby sprawdzić, czy gdzieś nie ukrywają się żołnierze. Kiedy wjeżdżamy do miasta, często widzimy kobiety stojące w oknach, wydaje nam się, że wymachują białymi prześcieradłami, żeby dać nam znak, że się poddają. Teraz, po kilku latach spędzonych w Niemczech, wiem, że po prostu wietrzyły pościel. Zawsze tak robią, wystawiają ją na słońce i świeże powietrze, zanim na powrót pościelą łóżka.

Wkraczamy do tych spokojnych miasteczek uzbrojeni po zęby. Niektórzy żołnierze rozglądają się tylko za kobietami, inni węszą za alkoholem, wódką albo winem, jeszcze inni szukają srebra i złota. Każdy ma swój upatrzony łup, żandarmeria wojskowa jest daleko za nami, więc nikt nas nie powstrzymuje. Nie sądzę zresztą, by ci z żandarmerii mieli ochotę być tutaj teraz z nami. Poza miastami nadal toczą się poważne walki.

Staję się prawdziwym specjalistą w wyszukiwaniu miejsc, w których Niemcy pochowali swoje klejnoty. Zazwyczaj są to niezbyt solidne sejfy ukryte za obrazami. Rozwalam ich zamki karabinem. Tłumaczę sobie, że wszystkie te klejnoty zostały najpewniej zrabowane Polakom, Francuzom czy Żydom wszędzie tam, gdzie Niemcy napadali, rabowali i mordowali. W okupowanych krajach konfiskowali przecież wszystko. Uważamy się za wielkich wyzwolicieli, którzy „wyzwalają" zgromadzone łupy.

Teraz wiem już o tym nieco więcej. Zdaję sobie sprawę z tego, że często zabierałem własność prywatną, że wielokrotnie były to bezcenne pamiątki rodzinne. Miałem wtedy jednak dziewiętnaście lat, byłem zwyczajnym, przerażonym żołnierzem, który próbował sam siebie przekonać, że jest bezwzględnym najemnikiem. Wyobrażałem sobie, że nie będę musiał pracować przez resztę swego życia, jeżeli uda mi się dowieźć to wszystko do domu. Miałbym wtedy prawdziwy skarb. Tak naprawdę nie można w żaden sposób usprawiedliwić tego, co zrobiłem. Jak mawiają Francuzi: *c'est la guerre.*

Nauczyłem się wyłuskiwać brylanty i inne szlachetne kamienie jak fasolki, nie potrzebuję opraw, chcę tylko klejnotów. Brylanty, rubiny, szmaragdy, wszystko, co zdaje się mieć jakąś wartość, wrzucam pospiesznie do kieszeni munduru. Nikogo nawet nie tykam. Niemcy są zbyt przerażeni, by cokolwiek mówić, niektórzy wprawdzie próbują się sprzeciwiać, najczęściej starsi ludzie i kobiety, ale nie zdarza się to często. Zgoda, jesteśmy gorsi od Rosjan.

Każdego wieczora wyciągam zebrane klejnoty i używając kawałków płótna, przeznaczonych do czyszczenia karabinów, zaszywam je wewnątrz plecaka.

Nasz wielki pościg kończy się i na kilka dni zatrzymujemy się w jednym miejscu. Jeden z chłopaków z naszego oddziału, który ma ojca jubilera, przyłapuje mnie przy robocie i ogląda moją kolekcję.

– Wielki Boże, Wharton, masz tutaj całą fortunę! Szkoda, że sam na to nie wpadłem, to sprytny pomysł. Taki łup pewnie uda ci się zawieźć do domu. – Uważnie ogląda wszystko, co udało mi się zebrać. – Nieważne, do kogo z tym pójdziesz, te kamyczki są warte dziesięć tysięcy dolarów, może więcej. Nie ma opraw, więc nie można ich rozpoznać. Uważaj tylko, odczekaj trochę, zanim spróbujesz je sprzedawać.

Upewniłem się, że będę mógł zabrać ze sobą plecak, kiedy przyjdzie pora wracać. Najpierw myślę, by wsypać kamienie do manierki, którą napełniłem jedwabnymi chustkami, później zdaję sobie sprawę z tego, że wyślę ją do domu przed powrotem, nie będę więc miał czasu.

Zastanawiam się również nad tym, by ukryć

klejnoty w filtrze niemieckiej maski przeciwgazowej. Bez problemu zostanie ona zakwalifikowana jako wojenna pamiątka. Mamy mnóstwo zdobycznych masek. To dziwaczne pamiątki, dziwaczna jak ci biedni szkopi, którzy wozili je po całej Europie, ale wszyscy wysyłają je do domu. Może mają zamiar założyć je na święto Halloween. My dawno już pozbyliśmy się naszych masek przeciwgazowych.

Postanawiam wysypać węgiel z filtra, wymieszać z nim kamienie, a potem skręcić wszystko na nowo. Opracowałem świetny plan, ale rzeczywistość go pokrzyżowała.

24

Uroczystość

Wojna kończy się ósmego maja, to „VE Day", dzień zwycięstwa na froncie europejskim. Postanawiam uczcić go we własny sposób, przez co po raz kolejny omal nie ląduję przed sądem polowym. Wiem, że oficjalnie wojna zakończy się o północy. Obozujemy w polu, śpimy w namiotach, zrobiło się ciepło, niewiele też jest do roboty. Wielka niespodzianka spotka nas dopiero za tydzień.

Czekam w namiocie, aż wskazówki niemieckiego oficerskiego zegarka z fosforyzującą tarczą połączą się, pokazując północ. Wiem, że niektórzy żołnierze noszą na przegubach i przedramionach po sześć czy siedem zegarków. Ustawiają je według czasu Chicago, Los Angeles, Nowego Jorku i tak dalej; mnóstwo czasu spędzają na ich nakręcaniu.

Dokładnie o północy ustawiam mój M1 między kolanami, celując w szczyt namiotu tworzący odwróconą literę V. Ma być VE Day, zgadza się? Rolin Clairmont śpi obok. Mocno przytrzymuję kolbę nogami i strzelam osiem razy.

Wyglądam na zewnątrz. Cały obóz, wszyscy wyskakują z namiotów. Nie wiedzą, z której strony dobiegają strzały. Biegają jak szaleni z karabinami gotowymi do strzału. Wyłażę z namiotu i zaczynam krzyczeć.

– Hurra, wojna się skończyła. Hurra!

Przez chwilę boję się, że ktoś mnie zastrzeli, zwłaszcza pewnym kandydatem jest tu Rolin, który potrząsa głową tak mocno, że mało mu uszy nie odpadną.

Wszyscy rzucają się na mnie i ciągną mnie do namiotu kapitana. Ten, zaspany, jest do połowy ubrany. Cały pluton wyjaśnia, co się stało, wszyscy mówią naraz. Po chwili kapitan orientuje się, o co chodzi.

– Czemuś to, u diabła, zrobił, Wharton? Powinni cię odesłać do czubków.

– Nikt się nie cieszy, panie kapitanie. Żyjemy, jakoś przetrwaliśmy tę wojnę. W tej przynajmniej już nie zginiemy, może w jakiejś następnej, gdzieś indziej, kto może to wiedzieć. Ale i tak powinniśmy to uczcić, panie kapitanie.

Kapitan wpatruje się we mnie i po chwili wybucha śmiechem. Wtóruje mu cała kompania. Kapitan Wall nie wyciąga żadnych konsekwencji. Każe mi tylko wziąć dodatkową wartę, żeby koledzy, których obudziłem, mogli się wyspać. W ten sposób uczciłem zakończenie wojny. Nie wiedziałem przecież, co jeszcze mnie czeka.

25

Miotacze ognia

Mniej więcej tydzień później po raz pierwszy w tym roku robi się naprawdę ciepło. Takiej właśnie pogody spodziewałem się, kiedy lądowaliśmy na francuskich plażach. Przez wiele miesięcy sypialiśmy w mundurach, zdejmując tylko buty i wtykając je do pierdziworków, aby móc je włożyć w kilka sekund. Nadal trzymamy nocne warty.

Od ponad tygodnia panuje spokój, rozbiliśmy się obozem w niewielkim lasku. Bardzo tu przyjemnie, trochę jak na majówce. W końcu dogoniła nas kuchnia polowa. Nauczyłem się mówić: *haben sie eier*. Od dawna nie jedliśmy świeżych jajek. Nie jestem tak do końca pewien, gdzie jesteśmy, pewnie gdzieś na terenach wschodnich Niemiec. Tej nocy śpię tylko w szortach i podkoszulku, zdjąłem nawet skarpetki, właściwie czuję się już jak cywil.

Wszyscy śpimy w namiotach. Plecaczek z łupem trzymam tuż przy głowie, wciśnięty w kąt namiotu. Położyłem go tam dla bezpieczeństwa. Ani Rolin, ani ja nie przejmujemy się nim specjalnie. Postanowiłem zabrać trochę rzeczy do domu, między innymi szwabską maskę przeciwgazową, dla mnie grabieże już się skończyły. Czuję... trudno mi to wyjaśnić. Nie mam żadnego poczucia winy. Naprawdę sądzę, że wyzwoliłem te kamienie od wroga. Uważam Niemców za wrogów, tak nas nauczono. Po tylu cierpieniach, których doświadczyliśmy, nie potrafimy już traktować ich jako istoty ludzkie. Do diabła, kradzież biżuterii jest niczym w porównaniu z tym, co oni robili.

W środku nocy budzą nas dobiegające ze wszystkich stron krzyki, wrzaski i strzały. Wybiegam z namiotu. W pierwszej chwili nie potrafię się zorientować, co się dzieje. Wygląda na to, że zaatakowało nas SS albo komandosi, ale okazuje się, że to grupa Hitlerjugend, na której czele stoi chłopak ubrany w mundur przypominający mundurek drużynowego skautów. To jeszcze dzieciaki, mają po dwanaście, góra piętnaście lat, uzbrojone w miotacze ognia ręcznej roboty, zrobione z ogrodowych węży. Aparaciki te okazują się zaskakująco skuteczne, te małe diabełki pryskają benzyną we wszystkich kierunkach, oblewając wszystko wokół. Krzyczą przy tym przez cały czas. Niektórzy są również uzbrojeni w broń ręczną. Uciekam jak zając. Zabieram tylko karabin i biegnę boso z gołym tyłkiem po sosnowych igłach, byle tylko zmyć się stąd jak najszybciej.

Docieramy do sąsiedniego lasku, a Niemcy nadal biegają, polewają wszystko benzyną i olejem napędowym i podpalają.

Kiedy wreszcie wracamy z pogoni za tymi dzieciakami, prawie wszyscy mniej lub bardziej roznegliżowani, mamy mnóstwo roboty przy gaszeniu pożarów i ratowaniu sprzętu. Nasz namiot spłonął prawie doszczętnie, łącznie ze wszystkim, co było w środku. Ja szukam tylko mojego łupu, przeszukuję szczątki namiotu i grzebię wśród popiołu. Nic jednak nie znajduję. Nie wiem, co się stało, ale zniknęły prawie wszystkie plecaki. Myślę, że dzieciaki uznały po prostu, że będą z nimi wyglądały bardziej na żołnierzy, albo przygotowują się już do następnej wojny. Pozostały karabiny i pistolety, zniknęły wyłącznie plecaki. Zostawili nawet koce, które nie zajęły się ogniem. Dzieciaki, ze swym dowódcą na czele, zniknęły w mrokach nocy, unosząc ze sobą nasze plecaki.

Coś wam powiem. Za każdym razem, kiedy trafialiśmy na porzucony sprzęt, przegrzebywałem wszystko, poszukując nadprutego plecaczka, jednak bez powodzenia. No cóż, tak skończyła się moja kariera złodzieja klejnotów. Jakiś dzieciak musiał przeżyć wspaniałą niespodziankę, jeśli odpruł kilka łatek w swoim plecaku.

26

Masakra

Następna historia jest bardzo smutna i naprawdę sądzę, że miałem powody, by nigdy nie opowiadać jej moim dzieciom. Nawet mnie nadal trudno o niej myśleć. Niełatwo jest mi się zebrać, by o niej napisać. Właśnie dlatego zostawiłem ją na sam koniec. Chcę opowiedzieć ją tak szczerze, jak tylko to możliwe. Zbyt wiele w tych opowieściach „bliskich spotkań" z sądami polowymi, ale tak właśnie wygląda prawda. W pewnym sensie taka jest historia mojego życia.

Po raz kolejny trafiam do szpitala polowego, ponieważ nadal mam mdłości. Przechodzę serię badań, ale zdaniem lekarzy wynika z nich, że nic mi nie jest. Teraz, pięćdziesiąt lat później, wiem dobrze, co mi było. Armia ma jednak do dyspozycji elektroencefalograf, który pokazuje, że z moim mózgiem jest wszystko w porządku. Dochodzą więc do wniosku, że symuluję, i odsyłają mnie z powrotem do oddziału.

Usiłuję teraz przypomnieć sobie dokładnie, kiedy się to stało. Minęło już tyle lat, że wszystkie te wydarzenia zlały się w mojej pamięci. Wiem, że doszło do tego jeszcze przed końcem wojny, ale już po klęsce armii niemieckiej, która nastąpiła po wielkiej ucieczce. Na pewno wydarzyło się to przed atakiem chłopców z Hitlerjugend.

Wróciłem ze szpitala i ponownie mam dowodzić patrolami. Nie jest to jednak zwiad i rozpoznanie, naszym zadaniem jest przeprowadzanie patroli zaczepnych, oddział ten został sformowany właściwie niezależnie od kompanii, choć wciąż stanowi jej część. Jest nas ośmiu, a naszym zadaniem jest branie do niewoli jeńców. Niemcy chcą się poddawać, a my mamy dać im do tego okazję. Nie jest to jednak specjalnie zabawne. Zdarza się, że cały oddział chce się poddać, ale trafia się w nim jeden uparty, który nie ma na to ochoty i potrafi niespodziewanie otworzyć do nas ogień. Zbyt wielu chłopaków dotarło aż tutaj, by tak głupio skończyła się dla nich ta wojna.

Ogólnie rzecz biorąc, rzeka niemieckich żołnierzy płynie na zachód, aby jak najszybciej się poddać. Wolą się oddać do amerykańskiej niewoli, bo na wschodzie czekają na nich Rosjanie.

Jest to bardzo dziwny okres wojny, ale nie trwa zbyt długo. Jesteśmy właśnie na takim patrolu, kiedy z lasu wychodzi mniej więcej dziesięcioosobowa grupa Niemców, którzy chcą się poddać. Wychodzą na polankę z białą flagą i rzucają broń na ziemię. Wyglądają na wychudzonych i obszarpanych. W tym okresie byłem bardzo zmęczony życiem, wojną, sobą, ludźmi. Kiedy w końcu uzgodniliśmy warunki poddania, zebraliśmy broń, a Niemcy stanęli z rękami nad głową, uznaję, że patrol jest już skończony.

Przekazuję dowództwo facetowi, który dowodził tym oddziałem, kiedy byłem w szpitalu. Chcę wracać do obozu. Wracam, pakuję się do namiotu i kładę, nie meldując się nikomu. Chce mi się płakać. Czuję, że muszę iść do lekarza, powiedzieć po prostu, że już nie mogę, niech mnie leczą na przemęczenie bojowe.

Jak już mówiłem, jest stosunkowo spokojnie, siedzimy drugi dzień w tym samym miejscu, a to teraz naprawdę długo. Nie wiem, dlaczego znaleźliśmy się akurat tutaj ani co się dzieje. Wyłączyłem się ze wszystkiego. Nie potrafię pojąć skomplikowanych mechanizmów wojny i tak naprawdę wcale mnie one nie obchodzą. Wiem, jak łatwo mógłbym zginąć, ale teraz nic już mnie nie obchodzi.

Po jakimś czasie moi żołnierze wracają do obozu. Bez jeńców. Jestem wstrząśnięty. Zwracam się do tego, któremu powierzyłem dowództwo, byłego artylerzysty.

– Gdzie są jeńcy?

– Ach, próbowali uciekać, więc musieliśmy ich zastrzelić.

Nie wierzę mu, wiem, że ci artylerzyści z oddziałów przeciwczołgowych to naprawdę dziwne towarzystwo. Przez całą wojnę służyli w batalionie przeciwczołgowym i nigdy nie musieli strzelać. Stare działka przeciwpancerne były do kitu, więc starali się po prostu przeczekać wojnę, umierając ze strachu. Mieli działa o kalibrze siedemdziesiąt pięć milimetrów, które holowali jeepami i strzelali z nich do czołgów. Działo o takim kalibrze nie ma właściwie żadnych szans na zniszczenie niemieckiego czołgu, jeep zaś w żadnym wypadku nie wytrzyma trafienia z czołgowej osiemdziesiątki ósemki.

Po wprowadzeniu bazooki, czyli pancerzownicy, taktyka walki z czołgami zmieniła się całkowicie. Dawne bataliony przeciwpancerne straciły rację bytu, nigdy tak naprawdę nie były wykorzystywane w walce, teraz zaś rozformowano je, a żołnierzy przydzielono do różnych oddziałów. W ten właśnie sposób ci ludzie trafili do tego oddziału. Nikomu nie przyniosło to szczęścia.

Zaczynam się domyślać, co się stało. Idę do kapitana Walla, mówię mu, że w czasie patrolu wziąłem do niewoli dziesięciu Niemców. Mówię, że sam wróciłem wcześniej do obozu, spodziewając się, że moi żołnierze sami ich doprowadzą. Okazało się jednak, że nie przyprowadzili jeńców i na dodatek twierdzą, że zastrzelili ich w czasie próby ucieczki. Mogłem trzymać język za zębami, zwłaszcza dlatego, że się nie odmeldowałem po przybyciu do obozu, jestem jednak przerażony, zły i nie panuję nad sobą.

Kapitan Wall to uczciwy człowiek. Tak samo jak ja chce się dowiedzieć, co naprawdę zaszło. Jestem przekonany, że Niemcy zostali zamordowani. Wracam zatem na miejsce, aby to sprawdzić, a ze mną idzie kilku żołnierzy ze składu patrolu. Teraz zaczynają opowiadać o tym, co się wydarzyło naprawdę. Krzyczą coś o Malmédy i wszystkich potwornościach, których dopuścili się Niemcy, a które właśnie wychodzą na światło dzienne.

Dopiero teraz zdaję sobie sprawę, że mam do czynienia ze zgrają okrutnych, wściekłych bestii i popełniłem ogromny błąd, zostawiając ich samych. Później kilku z nich zeznawało przed sądem, że dowódca i jeden ze zwiadowców torturowali Niemców, strzelając im w nogi i w ręce, a potem ich dobijali. Opowiedzieli też o tym, że jeden z Niemców wyciągnął portfel ze zdjęciami żony i dzieci i płakał.

Niektórzy czują się winni, najgorsi jednak są dumni z tego, co zrobili, uważają się za mścicieli niewinnych ofiar.

Wracamy na miejsce, gdzie ukryli ciała. Zakopali je w płytkich grobach i przykryli gałęziami i sosnowymi igłami, żeby nikt ich nie znalazł, zanim wyniesiemy się z tej okolicy. Kiedy ciała zostają wydobyte, dostaję torsji. Dowódca blednie i odwraca wzrok, jest wściekły.

Domaga się powołania ogólnego sądu polowego, dowiaduje się jednak, że w takim wypadku informacje o tej masakrze trafiłyby do archiwum Kongresu. Oficerowie nie chcą rozgłosu, a do archiwum Kongresu wszyscy mają dostęp. Z drugiej strony, chcą ukryć całą sprawę przed Niemcami, ponieważ mogłoby to zostać wykorzystane w celach propagandowych.

Zbiera się zatem jedynie specjalny sąd polowy. Nikt nie mówi o tym, co się wydarzyło. Naprawdę odpowiedzialność za wszystko ponosi facet, któremu powierzyłem dowództwo patrolu. To on namawiał i podjudzał pozostałych żołnierzy. Wszyscy dostają wyroki od dwóch do dziesięciu lat, które będą odsiadywać w Leavenworth, więzieniu federalnym, i karne usunięcie z wojska.

Przewodniczący sądu polowego stwierdza, że ja również ponoszę odpowiedzialność, nie powinienem był opuszczać moich żołnierzy aż do końca patrolu. Nie mogę w żaden sposób usprawiedliwić tego, że zostawiłem ich samych. Było to typowe zaniedbanie obowiązków. Kapitan Wall zeznaje jednak na moją korzyść, zostaję więc tylko zdegradowany do szeregowca i mam wstrzymany żołd przez sześć miesięcy. Nie ma to jednak już dla mnie żadnego znaczenia. Po miesiącu kapitan Wall ponownie mianuje mnie dowódcą drużyny. Zostajemy dobrymi przyjaciółmi, bardzo zbliżyło nas to wszystko, przez co razem przeszliśmy.

Po ogłoszeniu wyroku ten skurwysyn, skazany na dziesięć lat, dostrzegł mnie przed budynkiem, kiedy wyprowadzano ich z sądu.

– Lepiej miej się na baczności, Wharton. Za dziesięć lat cię dopadnę! – ryczy do mnie.

Pułkownik, który przewodniczył sądowi polowemu, jest tym wyraźnie wzburzony, mówi więc temu sukinsynowi, że takich ludzi jak on wojsko na pewno nie potrzebuje i że stanowi zakałę armii. Później publicznie zrywają im dystynkcje.

Muszę się jednak przyznać, że po upływie dwóch lat robię się nerwowy, męczę się jeszcze przez następnych dziesięć. Nie wiem, czy odsiedzieli całe wyroki, czy też nie. Chciałbym pozostawić za sobą tę część mojego życia. Kiedy o niej myślę, ogarniają mnie mdłości. Jak nisko potrafią upaść ludzie, kiedy na chwilę spuści się ich ze smyczy. Coś jednak pozostało we mnie po tych doświadczeniach, utraciłem wiarę w człowieka.

Wiem, jak łatwo przekonać młodych ludzi i w ogóle wszystkich do udziału w następnej bezsensownej wojnie. Wiem, jak łatwo ludzie zwracają się przeciwko sobie, jeśli tylko powstanie sprzyjająca sytuacja. Przekonałem się na własnym przykładzie, co można zrobić z chciwości w imię władzy. Świadomość towarzyszy mi stale i niełatwo przychodzi mi się z tego otrząsnąć. Zmienili mnie.

Przede wszystkim jednak nauczyłem się, że nigdy więcej nie będę dążył do władzy. Po pierwsze nie jestem po temu odpowiednim człowiekiem. Brakuje mi odpowiedzialności. Po drugie nie wierzę w zewnętrzną władzę. Każda władza, każda przewaga powinna wynikać z ludzkich zdolności, a nie być efektem istniejącej hierarchii. Przeżyłem swoje życie, nie wspinając się po szczeblach hierarchii.

Najbliżej struktury hierarchicznej znalazłem się jako nauczyciel. Byłem całkiem niezłym nauczycielem, dzieci lubiły mnie i chyba wiele się ode mnie uczyły. Kierownictwo szkoły chciało, bym przeszedł do pracy w administracji szkolnej. Wycofałem się, miałem wtedy trzydzieści pięć lat, wkrótce potem porzuciłem uczenie. Od tej pory zawsze pracowałem tylko dla siebie, robiłem to, co potrafię, nie musiałem przy tym nikim kierować.

Oczywiście, są ważni ludzie, którzy budują drogi, mosty czy tamy. W pewien abstrakcyjny sposób pracują jednak dla nas, dla wszystkich. W naszej rodzinie nigdy nie było służących, nie potrafię przyjąć związanej z tym odpowiedzialności. Nie pracuję dla nikogo i nikt nie pracuje dla mnie.

Podjąłem taką decyzję, mając dziewiętnaście lat, a wyniknęła ona z tego, że podobną odpowiedzialność zrzucono na moje barki, kiedy byłem na to zbyt młody.

27

Następstwa

Pora teraz przyznać się do mojego ostatniego przestępstwa. Wiecie już, że byłem częściowo odpowiedzialny za masakrę jeńców, i o całej reszcie. No cóż, po wojnie znalazłem się w Fort Dix. Zebrałem dostateczną liczbę punktów, żeby mogli zwolnić mnie do cywila, ale najpierw dentyści muszą zająć się moją szczęką, ustawioną krzywo w Metzu, w końcu też lekarze domyślili się, co stało się z moimi kanałami słuchowymi. Siedzę w Dix przez pięć miesięcy. W wolnym czasie, kiedy nie mam żadnych badań ani zabiegów, mam w końcu okazję wykorzystać moją umiejętność pisania na maszynie.

Zostaję przydzielony do wypłacania żołdu żołnierzom wracającym z południowego Pacyfiku, a pochodzącym z okolic Nowego Jorku i Filadelfii. Obrabia się ich jak kawałki stali czy skóry, a potem zwalnia. Armia przegląda ich dokumenty, ustala, czy jest im winna jakieś pieniądze i daje im odznakę „postrzelonej kaczki", jak ją nazywamy. Oznacza ona, że zostali zwolnieni z wojska. W tym czasie faceci, którzy mają żółtą skórę od tabletek adabryny, czekają na zwolnienie do cywila. Adabryna miała chronić ich przed malarią, ale w rzeczywistości powstrzymywała jedynie jej objawy. Pomysł godny wojskowego myślenia!

Dostają przepustki i mogą jechać do domu. Dla wielu jest to pierwszy pobyt po dwóch, trzech, a nawet czterech latach. Na ogół nie mają jednak pieniędzy. Armia jest im sporo winna i pieniądze te są już zgromadzone, tylko nie istnieje żaden oficjalny sposób, by można je było wypłacić żołnierzom.

W jednostkach piechoty na froncie nie ma płatnika. Tylko co mają zrobić wszyscy ci ludzie, którzy nawet nie mogą kupić sobie coli? Naprawdę głupio jest siedzieć bez grosza w Dix.

Opracowuję zatem system, na podstawie którego otrzymują „częściową wypłatę żołdu". Są to zaliczki na poczet tego, co winna im jest armia. Odpowiedzialny jest za nie niejaki porucznik Trout, jego jednak nigdy nie ma w bazie. Ma dziewczynę i cały czas spędza z nią. Mnie mianuje swoim zastępcą, powinien był się dobrze zastanowić, zanim podjął tę decyzję.

Wypisuję kwity na zaliczkę wysokości stu dolarów dla każdego, kto chce. Każdy z nich dostanie też trzy stówy przy przejściu do cywila, a później zaległy żołd. Żołnierze przychodzą więc do mnie, podają swoje nazwiska i numery, żeby dostać swoje czterysta dolarów, które winna jest im armia. Każdy kwit wypisuję na maszynie w trzech egzemplarzach. Jeden dostaje żołnierz, idzie z nim do kasy po pieniądze, drugi powinien zostać podpisany przez porucznika Trouta i umieszczony w naszych archiwach. Trzecią kopię powinienem umieścić w dokumentach każdego żołnierza, tak by pieniądze te zostały później odjęte od należnej mu sumy, kiedy będzie zwalniany do cywila. Nie robiłem jednak tego!

Nigdy już nie dowiem się, ile zaliczek rozdałem w ten sposób podczas pięciu miesięcy, które spędziłem w Fort Dix, w czasie kiedy zajmowali się mną lekarze. Wypisywałem druki, dawałem żołnierzom kopię dla kasy, podpisywałem tę, którą powinien podpisać porucznik Trout, i dołączałem ją do naszych akt razem z tą, która powinna trafić do akt danego żołnierza.

Przez wiele lat tylko czekałem, kiedy władze odkryją ten szwindel i mnie dopadną. W końcu rozdałem około piętnastu tysięcy dolarów. Z punktu widzenia armii pieniądze te po prostu wyparowały. Jednak biorąc pod uwagę sposób, w jaki wojsko wydaje pieniądze, to nie było ich tak wiele, a kto bardziej od żołnierzy na nie zasłużył? Przez prawie dwa lata spodziewałem się, że mnie złapią, ale nic się nie stało. Myślę, że tak naprawdę wcale nie spodziewałem się, że coś może się stać. Wojsko jest tak potwornie nieskuteczne.

Z tą winą mogę żyć dalej. Mógłbym i dzisiaj popełnić podobne przestępstwo, gdyby tylko starczyło mi odwagi i gdybym miał po temu okazję. Jak już mówiłem, nie miałem wtedy szacunku dla nikogo, byłem w początkowym stadium choroby psychicznej, a przynajmniej mizantropii.

Tak oto kończą się historie, których nigdy nie opowiadałem, przynajmniej ja tak je pamiętam po pięćdziesięciu latach. Niektóre z nich są zabawne, wiele tu też historii tragicznych, we wszystkich jednak pojawiam się w takim świetle, w jakim nigdy nie chciałem pokazywać się moim dzieciom.

Nie chcę tu powiedzieć, że byłem najgorszym żołnierzem na świecie. Zdarzało się, że walczyłem całkiem dobrze, oczywiście biorąc pod uwagę to, co tak naprawdę wtedy robiliśmy: zabijaliśmy ludzi, których nawet nie znaliśmy. Kiedy bierze się udział w czymś tak niszczycielskim i szalonym jak wojna, niełatwo jest zachowywać się jak należy. Dopóki człowiek nie hańbi siebie i nie krzywdzi innych, można to mniej lub bardziej zaakceptować. Na wojnie jednak nie ma innego wyjścia.

Większości spośród nas się to udało. Człowiek uczy się z tym żyć i robi, co w jego mocy, żeby nie zdarzało się to częściej, niż jest to konieczne.

Nigdy nie robiłem karbów na lufie mojego karabinu. Niektórzy je robili. Inni toczyli inne wojny niż ja. Spotykałem ludzi, którzy służyli w piechocie, brali udział w walce i, jak twierdzą, nigdy nie zobaczyli nikogo, do kogo mogliby strzelić. Mogę w to uwierzyć. Prawdopodobnie osłaniali tylko kolegów, nigdy jednak nie widzieli wroga i nie strzelali do niego. Mieli szczęście. Przypominam sobie co najmniej dwadzieścia momentów, kiedy znalazłem się w dokładnie takiej sytuacji i nie miałem wyboru. O ile wiem, nigdy nie zdarzyło się, by ktoś strzelał do mnie, stanął ze mną twarzą w twarz i strzelił. Jeśli nawet tak było, nie wiedziałem o tym, a ten ktoś SPUDŁOWAŁ!

Wydaje mi się, że takie właśnie jest całe moje życie. Nie spotkałem nikogo, kto celowo chciałby mnie zabić lub zranić. Mogę umrzeć w wypadku samochodowym, na skutek błędu lekarza, ale to normalne w naszym zwariowanym świecie.

Jednak szrapnel, jakim jest zwyczajne ludzkie życie, ranił mnie nieraz, o wiele częściej i mocniej, niż mógłbym sobie tego życzyć. W życiu większości ludzi taki szrapnel pojawia się bardzo wcześnie: zostają odrzuceni przez rodziców, ukochane osoby albo przyjaciół, nie dostają się do drużyny baseballowej, nie otrzymują upragnionych stanowisk. Są to zwykłe niepowodzenia w próbach, jakie stawia przed nami życie i miłość. Jeśli nie jesteśmy dostatecznie ostrożni, kończymy okaleczeni, nieszczęśliwi, załamani i pogrążeni w depresji wywołanej przez drobne rany, które ktoś nam zadał często nawet bez żadnych złych zamiarów. Myślę więc, że powinienem zatytułować tę książkę właśnie „Szrapnel”!!!

Mam nadzieję, że te historie podobały się moim dzieciom i nie stracę przez nie ich szacunku. Oznaczałoby to, że opowieści te były jak tkwiąca w ziemi zapomniana mina.

Spis treści